D1073624

Cuéntame

lecturas para todos los días

Francisco Hinojosa

Antologador

Presentación

Cuando le contamos o leemos un cuento a nuestros hijos iniciamos ya su formación como futuros lectores, aun antes de que sepan descifrar las palabras escritas. Más que eso: estamos estableciendo una relación nueva con ellos que más tarde, cuando sean adultos, recordarán no sólo como formativa, sino como placentera y gozosa.

¿Por qué leer cuentos, poemas, rimas, fábulas y leyendas a nuestros hijos? ¿Para qué hacerlos lectores? Bruno Bettelheim afirma que para encontrar un sentido a la vida "no hay nada más importante que el impacto que causan los padres y aquellos que están al cuidado del niño; el segundo lugar en importancia lo ocupa nuestra herencia cultural si se transmite al niño de manera correcta. Cuando los niños son pequeños la literatura es la que mejor aporta esta información".[1]

Además de compartir cotidianamente momentos gratos de lectura y de establecer este nuevo vínculo, nuestros hijos comprenderán, a través de la voz de sus padres, la capacidad comunicativa del lenguaje, la eufonía de las palabras, la riqueza de la lengua. De igual manera, podrán compartir la risa, el canto, la reflexión, el descubrimiento. Y sobre todo el diálogo. Los textos leídos cada día pueden ser un excelente motivo para conversar.

Así como los cuentos de tradición oral reunían a la comunidad y creaban una conciencia de grupo, los textos que *Cuéntame* propone para la lectura compartida en el hogar buscan que se enriquezcan los nexos familiares. Y también que se estimule la imaginación del niño, que se desarrolle su pensamiento, que se tienda un puente más entre la casa y la escuela, que se estreche la relación entre alumnos, padres y maestros.

Francisco Hinojosa
Antologador

---

[1] Bettelheim, Bruno (2003). *Psicoanálisis de los cuentos de hadas*. Barcelona: Crítica.

Mi casa

María Baranda

Tengo una casa grande.
Arriba, su techo
es de palomas,
   abajo,
su piso es un jardín
de insectos,
   adentro, la lluvia
siempre asoma,
   afuera,
el mar, las nubes
y una inmensa cama
para mirar tumbados
las estrellas del cielo.

Mi casa es infinita
está llena de tiempo
pero de tiempo mío
porque yo
todos los días
la invento.

Cuando los ratones
se daban la gran vida

Francisco Hinojosa

En el tiempo en que la luna era roja y los árboles daban todo el año flores y frutas, todos los animales de la tierra eran del mismo tamaño.

Fue un ratón el que descubrió el secreto: un día encontró una tripita que salía de la pata de un león. Le quitó la tapa y...

El león empezó a desinflarse. Luego buscó en la pata de una abeja y también encontró la tripita. Y la empezó a inflar e inflar e inflar...

Pasaban entonces cosas muy raras: las hormigas podían cargar más hojas, pero no cabían en sus agujeros. Los changos no podían subirse a los árboles ni comer plátanos.

Las moscas eran tan pesadas que no podían volar. El gato no perseguía a los ratones. Y a los cocodrilos nadie les tenía miedo.

Los ratones eran los únicos que se daban la gran vida.

El elefante era el encargado de servir el queso. El oso polar les cortaba el pelo y los bigotes.

Los caracoles hacían ricos pasteles. Los lobos tiraban de los trineos. Y el gato los divertía con sus bailes.

Pasaron así muchos años, hasta que un buen día el búho descubrió la tripita en la pata de una hormiga. Le quitó la tapa y...

La hormiga se hizo chiquita, chiquita, y pudo volver a su agujero. Entonces el búho les dijo a todos el secreto. Así la jirafa fue con el camello y lo empezó a inflar e inflar e inflar...

Hasta que el camello se hizo más grande que los árboles.

—No me infles tanto, ya no te puedo ver —le gritó a la jirafa.

Todos los animales volvieron a ser como antes: la araña ya podía tejer su tela, las mariposas volar, el tigre saltar de los árboles y el hipopótamo volver a su casa.

Desde entonces los ratones dejaron de ser los amos de la tierra. Y los animales vivieron muy contentos.

El castillo aéreo
del brujo

W. M. Jackson

Hace mucho tiempo un brujo construyó un castillo que
dejó suspendido entre el cielo y la tierra. La princesa
Yolanda, hija única del rey, salió esa mañana
a caballo para contemplar aquella obra encantada.
Mientras la admiraba, el brujo bajó del castillo
y se llevó a la princesa consigo.

En cuanto se enteró el rey del robo de la princesa,
mandó a sus soldados a que construyeran una gran
escalera para poder subir al castillo y atacarlo.

—El que salve a mi hija la tendrá por esposa
y será heredero del reino.

Sin embargo, por más que los soldados se
empeñaron no lograron hacer una escalera tan alta
que pudiera llegar al castillo del brujo. Uno a uno dejaron
de esforzarse y regresaron a sus casas. Hasta que un día,
un joven labrador llamado Diego decidió emprender la hazaña.

Como era bueno en el manejo del arco y las flechas, determinó
lanzar una hacia el castillo, después de anudarle una cuerda, trepar
por ella y, una vez arriba, matar al brujo.

Estaba haciendo los preparativos del rescate cuando se acercó
a él un hombre. En cuanto supo cuáles eran los propósitos del joven
se ofreció a ayudarle.

Al fin, Diego disparó la flecha que tenía anudada la cuerda contra
la puerta del castillo. Escaló por ella, llevando en la boca la flecha
más afilada que tenía. Al llegar, con mucho cuidado se acercó
a una ventana y apuntó con su arco hacia el brujo y lo mató. Entró
al castillo, halló a la princesa Yolanda, le pasó la cuerda a través de
los brazos y la bajó suavemente, hasta que llegó al lado del hombre
que se había ofrecido a ayudarlo. Pero antes de que Diego pudiera
bajar, el hombre le prendió fuego a la cuerda y huyó con la princesa.

—Quemé la cuerda —le dijo a Yolanda— para que Diego me cuide
el castillo. En realidad él es mi criado; yo lancé la flecha, maté al

brujo y mandé a Diego arriba para que te bajara hasta mis brazos.

Aunque la princesa no le creyó ninguna de sus palabras, el rey sí lo hizo. Vistieron al hombre con un espléndido traje y comenzaron a preparar la boda. Mientras tanto, Diego buscaba la manera de bajar a tierra. Finalmente halló una gran rueda que hacía que el castillo aéreo pudiera subir y bajar. Una vez abajo se encaminó hacia Madrid y paró justamente en la iglesia en la que iba a celebrarse la boda.

Cuando la carroza que llevaba a los novios llegó a la iglesia, el impostor vio a Diego y prefirió huir de allí. Entonces, la princesa Yolanda, al ver al joven labrador que la había salvado, le dijo a su padre:

—Fue él quien mató al brujo y me salvó de estar encerrada.

—Si es así, que él sea tu esposo. De esta manera, Diego y la bella princesa se unieron en matrimonio. A los pocos años murió su padre y Diego se convirtió en rey de España.

Canción
de cuna

Miguel N. Lira

Un cuento te cuento,
niñito sin sueño,
un cuento te cuento
para que te duermas.
Para que te duermas
escondí la luna;
para que te duermas
en la noche oscura.

Escondimos la luna,
mi niño,
la escondimos jugando.
Fuimos a la montaña
a ver el cielo
y allí nos la encontramos
redonda como un aro.

Pastorcito niño
que vas por el monte:
tus ovejas blancas
ya no tienen luna.

Lavandera niña
que estás junto al río:
tu ropa lavada
ya no tiene luna.

Ya no tienen luna
ni el cielo ni el bosque;
¡los dejamos ciegos,
mi niño,
en la noche oscura!

La gallinita

Gloria Fuertes

La gallinita,
en el gallinero,
dice a su amiga:
—Cuánto te quiero.
Gallinita rubia
llorará luego,
ahora canta:
—Aquí te espero…
"Aquí te espero,
poniendo un huevo",
me dio la tos
y puse dos.
Pensé en mi ama,
¡qué pobre es!
Me dio penita…
¡y puse tres!
Como tardaste,
esperé un rato
poniendo huevos,
¡y puse cuatro!
Mi ama me vende
a doña Luz.
¡Yo con arroz!
¡qué ingratitud!

Greguerías

Ramón Gómez de la Serna

La mariposa, al cerrar sus alas, pellizca dulcemente el aire.

El arco iris es la cinta que se pone la naturaleza después de haberse lavado la cabeza.

El más pequeño ferrocarril del mundo es la oruga.

Los cangrejos son las espuelas del mar.

La gaviota rema en su vuelo.

Caperucita
Roja

Charles Perrault

Hace mucho tiempo, en una aldea junto al bosque, vivía una niña muy linda a la que todos llamaban Caperucita Roja, pues todo el tiempo traía puesta la caperuza de ese color que su abuela le había hecho.

Un día, la mamá de Caperucita preparó unos deliciosos pastelitos de frutas, y le dijo:

—Hija mía, ve a llevarle esto a tu abuela. Estoy segura de que se pondrá muy contenta con tu visita, ya ves que ha estado un poco enferma.

Resulta que la abuela vivía en una casa en la parte más profunda del bosque, así que Caperucita se puso en camino de inmediato, pero antes, su madre le advirtió:

—Caperucita, te quiero pedir que no te salgas del camino, no vaya a ser que te encuentres con algún animal feroz.

La niña se fue muy obediente con la canasta de los pastelitos. Por el sendero del bosque iba dando saltos.

En eso se encontró con un viejo lobo, que desde hacía mucho

tiempo tenía ganas de comerse a la niñita, pero que no se atrevía a causa de los leñadores que frecuentemente andaban por el bosque. Como Caperucita no sabía que se trataba de un animal peligroso, se detuvo a platicar con él.

—Señor Lobo, ¿cómo le ha ido? Yo voy a visitar a mi abuelita que está un poco enferma. Le llevo estos pastelitos de frutas que hizo mi mamá.

—¿Y vive muy lejos tu abuelita? —preguntó el astuto lobo.

—Uy, sí, en lo profundo del bosque.

—Bueno, Caperucita, yo también iré a saludarla. ¿Qué te parece si yo me voy por aquel camino y tú por éste. ¡A ver quién llega primero!

Y diciendo y haciendo, el lobo pegó la carrera.

Caperucita se apresuró también porque quería llegar antes que él, pero en el camino se distrajo para cortar unas flores y recoger unas nueces.

El lobo llegó primero y tocó a la puerta.

—¿Quién es? —se escuchó la voz de la abuelita, que estaba en cama pues, no se sentía bien.

—Tu nieta, Caperucita Roja —respondió el lobo con voz fingida.

—Debajo del tapete hay una llave; tómala y abre —dijo ella.

El lobo lo hizo y, de un bocado, se comió completita a la abuelita.

Pero como aún tenía hambre, pues no había comido en una semana, decidió cerrar la puerta y acostarse en la cama.

15

Al poco rato, tocaban a la puerta.

—¿Quién es?

Caperucita se asustó un poco al escuchar esa voz ronca, pero pensó que se debía a que su abuelita estaba resfriada.

—Soy yo, tu nieta Caperucita —respondió—; te traje unos ricos pastelitos de frutas que hizo mi mamá.

—Debajo del tapete hay una llave; tómala y abre —dijo el lobo tratando de que su voz no fuera tan ronca.

Caperucita hizo lo que le decía el lobo y abrió la puerta.

El lobo, al verla entrar, se tapó lo más que pudo con las sábanas de la cama y dijo:

—Caperucita, deja los pastelitos en la mesa y acércate.

La niña se acercó y le llamó la atención ver a su abuelita tan cambiada:

—¡Pero qué brazos tan grandes tienes, abuelita!

—Son para abrazarte mejor —respondió el lobo.

—¡Y qué orejas tan largas tienes, abuelita!

—Son para escucharte mejor.

—¡Y qué ojos tan grandes tienes, abuelita!

—Son para verte mejor.

—¡Y qué dientes tan grandes tienes, abuelita!

—Son para comerte mejor.

Y justo en ese momento, cuando estaba a punto de lanzarse a devorar a la niña, abrió la puerta de un golpe un leñador que había seguido las huellas del lobo. Rescató a Caperucita y de un hachazo le abrió la panza al lobo, de donde salió la abuelita sana y salva.

¡Y colorín colorado, ya saben el resultado...!

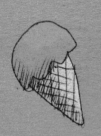

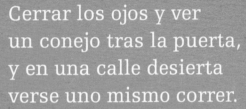

Soñar

Eduardo Carrera

Cerrar los ojos y ver
un conejo tras la puerta,
y en una calle desierta
verse uno mismo correr.

Dejar al sueño que elija
el juego más ingenioso:
ser pirata bondadoso,
ser un trueno o lagartija.

Dar un salto y alzar vuelo
sin almohada ni equipaje;
despertar del largo viaje
al tocar los pies el suelo.

Soñar es ver los colores
nunca antes imaginados,
y en el cielo reflejados
el vuelo de ruiseñores.

Greguerías

Ramón Gómez de la Serna

Al oír la sirena parece que el barco se suena la nariz.

Las golondrinas cortan con las tijeras de sus alas el traje de la tarde.

El pulpo es el bailarín del mar.

El pez más difícil de pescar es el jabón dentro del baño.

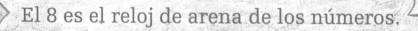

El 8 es el reloj de arena de los números.

La ranita verde y el pato

Anónimo

En un charco muy grande y muy limpio vivían muchas ranas.

Una ranita verde quería ser la rana más grande del mundo.

Un día se acercó un pato a beber agua.

Las ranas dijeron:

—¡Mira, mira! Ésa es la rana más grande que hemos visto.

La ranita verde contestó:

—Verán que yo puedo ser más grande que ella.

Y allí mismo comenzó a comer y a beber y a comer y a beber.

La ranita verde se hinchó como una pelotita.

—¿Ya soy bastante grande? —preguntó.

—No, todavía es mayor la que viene a beber agua.

La ranita verde siguió comiendo y bebiendo.

Y se hinchó más y más, hasta que tuvo el tamaño de un balón de futbol y reventó.

Algunas ranitas verdes no saben que son muy bonitas estando pequeñitas, y por mucho que coman y beban nunca van a ser del tamaño de un pato.

La princesa y el frijol

Hans Christian Andersen

Había una vez un príncipe que quería casarse con una princesa, pero una princesa de verdad, de esas de sangre azul. Para encontrarla se puso a viajar por todo el mundo. Iba de reino en reino, pero a todas las princesas que le presentaban siempre les veía un defecto: narizonas, demasiado rubias, los ojos pequeños, muy gordas o muy flacas.

El joven príncipe pensaba que con tantos defectos las princesas no podían ser verdaderas. Así que regresó de su largo viaje muy triste. Y se encerró en su palacio a suspirar.

Cierta noche se desató una tormenta terrible. Caían rayos, y los relámpagos iluminaban la noche y parecía que nunca dejaría de llover. De pronto tocaron a las puertas del palacio y la reina fue a abrir en persona.

Cuál no sería su sorpresa al ver a una joven princesa, con el agua escurriéndole por todos lados. No se veía nada bonita.

A pesar de esto, la muchacha insistía en que era una princesa real y verdadera.

—Ya veremos si eso es cierto —pensó la vieja reina.

Y, sin decirle nada, fue al cuarto de visitas, quitó las sábanas y las colchas y escondió un frijol debajo del colchón. Luego colocó encima varios colchones más, puso almohadones con plumas de ganso, sábanas y colchas. La cama estaba lista, allí tendría que pasar la noche la princesa.

A la mañana siguiente le preguntaron cómo había dormido.

—¡Oh, muy mal! —se quejó la princesa—. Casi no dormí en toda la noche. ¡Deben revisarse las camas de este palacio! Había algo tan duro en mi cama que amanecí llena de moretones. ¡Qué horror!

Al escuchar esto, todos en el palacio comprendieron que se trataba de una princesa real y verdadera, pues sólo una piel tan delicada podía sentir el pequeño frijol a través de tantos colchones y almohadones de plumas.

El más contento fue el príncipe, que al fin había encontrado una princesa perfecta, se casó con ella y mandó el frijol a un museo, para que todo el mundo lo viera.

La perla del dragón

Anónimo

Hace muchos, muchos años, vivía un dragón en la isla de Borneo. Tenía su cueva en lo alto del monte Kinabalu. Se trataba de un dragón pacífico que no molestaba a los habitantes de la isla.

Tenía una perla de enorme tamaño y todos los días jugaba con ella: la lanzaba al aire y luego la recogía con la boca. Aquella perla era tan hermosa, que muchos habían intentado robarla.

Pero el dragón la guardaba con el mayor de los cuidados. Por eso, nadie había podido robarla.

Un día el emperador de China decidió enviar a su hijo a la isla de Borneo. Llamó al joven príncipe y le dijo:

—Hijo mío, yo creo que la perla del dragón debe formar parte del tesoro de nuestro Imperio. Estoy seguro de que tú encontrarás la forma de traérmela.

Después de varias semanas de camino, el príncipe llegó a las costas de Borneo. A lo lejos se recortaba el monte Kinabalu, y en lo alto del monte el dragón jugaba con la perla: la lanzaba al aire y luego la atrapaba con la boca.

De pronto, el príncipe comenzó a sonreír porque se le había ocurrido una buena idea. Llamó a sus hombres y les dijo:

—Necesito una lámpara redonda de papel y un papalote que pueda sostenerme en el aire.

Los hombres comenzaron a trabajar de inmediato y pronto lograron hacer la lámpara que les había pedido su amo. Después de siete días de trabajo, construyeron un papalote grande y muy bonito que podía cargar el peso de un hombre.

Al anochecer, comenzó a soplar fuertemente el viento. El príncipe aprovechó para subirse al papalote. Al cabo de unos minutos se elevó por los aires.

La noche era muy oscura cuando el príncipe bajó del papalote en lo alto del monte y se dirigió en silencio hacia el interior de la cueva. El dragón dormía profundamente. Con todo cuidado, el príncipe se apoderó de la perla, puso en su lugar la linterna de papel y escapó de la cueva.

Se subió nuevamente al papalote y encendió una luz. Cuando sus hombres vieron la señal, comenzaron

a recoger la cuerda que ataba al papalote. Al poco tiempo, el príncipe pisaba la cubierta de su barco.

—¡Levad anclas! —gritó.

Y el barco empezó a deslizarse suavemente sobre las aguas del mar.

En cuanto salió el sol, el dragón fue a recoger la perla para jugar, como lo hacía todas las mañanas. Entonces, descubrió que le habían robado su perla. Comenzó a echar humo y fuego por la boca y se lanzó, monte abajo, en persecución de los ladrones. Recorrió todo el monte, buscó la perla por todas partes, pero no pudo hallarla. Entonces, alcanzó a ver el barco en el que iba el príncipe. El dragón saltó al agua y nadó velozmente hacia el barco.

—¡Ladrones! —les gritaba—. ¡Devuélvanme mi perla!

Los marineros estaban muy asustados y lanzaban gritos de miedo. La voz del príncipe se elevó por encima de todos los gritos:

—¡Carguen el cañón grande! ¡Fuego!

El dragón escuchó el estampido del disparo. Vio una nube de humo y luego una bala de cañón que se dirigía hacia él. Como la bala redonda brillaba con las primeras luces de la mañana, el dragón pensó que le devolvían su perla. Por eso, abrió la boca y se la tragó.

El dragón se hundió en el mar y nunca más volvió a aparecer. Y desde aquel día, la perla del dragón fue la joya más preciada del tesoro imperial de China.

Vuelo de voces

Carlos Pellicer

Mariposa, flor de aire,
peina el área de la rosa.
Todo es así: mariposa,
cuando se vive en el aire.
Y las horas del aire son
las que de las voces vuelan.
Sólo en las voces que vuelan
lleva alas el corazón.
Llévalas de aquí, que son
únicas voces que vuelan.

En el corazón del bosque vivían tres cerditos que eran hermanos. El lobo siempre andaba persiguiéndolos porque quería comérselos. Para escapar de él, los cerditos decidieron construirse cada quien una casa.

El más pequeño la hizo de paja, para acabar cuanto antes y poder irse a jugar.

El mediano construyó una casita de madera. Al ver que su hermano pequeño había terminado ya, se dio prisa para ir a jugar con él.

Los tres cerditos

Adaptación de Francisco Hinojosa

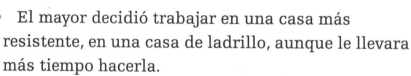

El mayor decidió trabajar en una casa más resistente, en una casa de ladrillo, aunque le llevara más tiempo hacerla.

—Ya verán lo que el lobo puede hacer con sus casas —les dijo a sus hermanos, mientras ellos se divertían, pero no le hicieron caso.

El lobo se encontró con el más pequeño y corrió tras él hasta su casita de paja:

—Cerdito, déjame entrar.

—No, no, no te abriré nunca la puerta.

—Si no lo haces, soplaré hasta que tu casa se caiga.

Como no recibió respuesta, el lobo sopló y sopló hasta que la casita de paja se vino abajo. Luego persiguió al cerdito por el bosque, que al verse en peligro corrió a refugiarse en casa de su hermano mediano.

El lobo pensó que soplando también derribaría esa casa. Sopló y sopló, y poco a poco la casita de madera empezó a tambalearse. Antes de que algo pasara, los dos cerditos tuvieron miedo de que se viniera abajo y salieron pitando de allí.

Casi sin aliento, con el lobo pegado a sus talones, llegaron a la casa del hermano mayor.

—Déjanos entrar, hermano, que viene el lobo y quiere comernos.

El mayor, ante la llamada de auxilio de sus hermanos, abrió la puerta y la cerró de inmediato para impedir la entrada del enemigo.

El lobo volvió a amenazar a los tres cerditos. Como vio que no le abrían sopló y sopló, pero no pudo derribar la fuerte casa de ladrillos. Entonces se puso a dar vueltas a su alrededor, buscando algún sitio por el que pudiera entrar. Con una larga escalera trepó hasta el tejado, para así bajar por la chimenea.

Pero el cerdito mayor tuvo una buena idea: puso al fuego una olla con agua. El lobo comilón descendió por el interior de la chimenea y cayó justo sobre el agua hirviendo.

Escapó de allí dando unos terribles aullidos que se oyeron en todo el bosque.

Se cuenta que nunca jamás volvió a comer cerditos.

Refranes y proverbios

Cuando el gallo no
canta, es que algo
tiene en la garganta.

(refrán español)

No dejen a los niños
sin justicia ni sin pan.

(proverbio francés)

El lago

Benjamín Valdivia

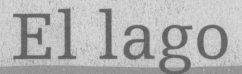

Cuando vamos de paseo
me gusta el lago, me gustan
las lanchas y aquellos patos
que frente a nosotros cruzan
y los pescaditos rojos
apiñados como uvas.

En los espejos del agua
se contempla una figura.
¡Si soy yo que está mirando
mis ojos entre la espuma!

Se me ha perdido una niña

Anónimo

Se me ha perdido una niña,
cataplín, cataplín, cataplero,
se me ha perdido una niña
en el fondo del jardín.

Yo se la he encontrado,
cataplín, cataplín, cataplero,
yo se la he encontrado
en el fondo del jardín.

Haga el favor de entregarla
cataplín, cataplín, cataplero,
haga el favor de entregarla,
del fondo del jardín.

¿En qué quiere que la traiga,
cataplín, cataplín, cataplero,
en qué quiere que la traiga
del fondo del jardín?

Tráigamela en sillita,
cataplín, cataplín, cataplero,
tráigamela en sillita,
del fondo del jardín.

Aquí la traigo en sillita,
cataplín, cataplín, cataplero,
aquí la traigo en sillita,
del fondo del jardín.

La orilla del agua

José Emilio Pacheco

La hormiguita que pasa
por la orilla del agua parece
decir adiós al inclinar sus antenas.

Qué voy a hacer si pienso en ti al observarla,
tan segura de su misión, tan hermosa
siempre a punto de ahogarse
y siempre salvándose.

Siempre diciendo adiós
a quien no ha de volver a verla.

Nana
del espejo

Pompeyo del Valle

En el fondo de mi espejo
navega un buque de vela.
En el buque va una niña
más hermosa que una estrella.

Siete peces voladores
vuelan sobre el mar sonoro.
Unos peces son de plata
y otros peces son de oro.

La niña me está mirando
y yo a la niña estoy viendo.
El sueño vence a la niña
y a mí me ha vencido el sueño.

Arrorró, arrorró.
Ambos dormimos. Silencio.

Adivinanzas

Una señora muy aseñorada,
que siempre va cubierta
y siempre está mojada.
(La lengua)

Una caja llena de soldaditos,
con sus cascos coloraditos.
(Los cerillos)

Chiquitito como un ratón
y cuida la casa como un león.
(El candado)

Vuela sin alas,
silba sin boca,
y no se ve ni se toca.
(El viento)

El gallo de las botas amarillas

Anónimo

Había una vez un anciano que tenía un gallo pinto. El viejo era tan pobre que no ganaba lo suficiente como para comprar la comida que alimentara a los dos. Por eso, un buen día el gallo se fue de la casa para tener aventuras. Por el camino iba cantando:

—Tengo que encontrar una fortuna para sacar a mi pobre amo de la miseria...

De pronto, vio una bolsa tirada en medio del campo. El gallo se puso muy contento cuando vio que en la bolsa había dos monedas de oro.

Cogió la bolsa con el pico y decidió regresar a casa de su amo. Por el camino se cruzó con el carruaje del hombre más rico de la región. Entonces, el hombre le dio una orden a su cochero:

—Tráeme de inmediato la bolsa que lleva ese gallo en el pico.

En cuanto le dio la bolsa, el ricachón guardó en su bolsillo las dos monedas de oro y continuó su camino.

El gallo, enojado, le empezó a gritar una y otra vez:

—Quiquiriquí, quiquiriquero, me iré de aquí con mi dinero.

Entonces, el ricachón, muy enfadado, dio una nueva orden:

—Cochero, para junto a aquel pozo y echa adentro a ese animal testarudo.

Cuando el gallo cayó al pozo, empezó a tragar agua. Traga que te traga, terminó bebiéndose toda el agua del pozo. En cuanto acabó, saltó fuera y corrió detrás del carruaje:

—Quiquiriquí, quiquiriquero, me iré de aquí con mi dinero.

—Maldito gallo testarudo —replicó el ricachón—, ya te daré tu merecido.

Cuando llegaron a su casa, dijo a la cocinera:

—Mete a ese gallo en el horno. Lo quiero bien cocinado.

Cuando el gallo se encontró entre las llamas, echó toda el agua del pozo que había bebido. El horno se apagó, la cocina se inundó y el agua desbordó toda la casa.

El gallo salió del horno y comenzó a picotear en la ventana del ricachón:

—Quiquiriquí, quiquiriquero,
me iré de aquí con mi dinero.

—Echen a ese gallo al corral —gritó cada vez más enfurecido el ricachón.

Los criados siguieron las órdenes de su amo y tiraron al gallo en medio del rebaño de bueyes y vacas para que lo aplastaran. Pero el gallo empezó a tragarse, uno por uno, a todos los bueyes y todas las vacas del corral. Cuando terminó con todos los animales, el gallo ya era grande como una montaña. Se fue a la ventana del ricachón y volvió a gritar:

—Quiquiriquí, quiquiriquero,
me iré de aquí con mi dinero.

Como pudo, el ricachón empujó al gallo al sótano donde guardaba todas sus riquezas.

—A ver si te atragantas con una moneda —le dijo y echó llave a la puerta.

El gallo tardó muy poco tiempo en tragarse todas aquellas riquezas.

Al acabar con todo volvió a gritar:

—Quiquiriquí, quiquiriquero,
me iré de aquí con mi dinero.

El ricachón, desesperado ya por el quiquiriqueo del gallo, tiró las dos monedas y le dijo:

—Vete, no quiero volver a verte nunca por aquí.

Cuando al fin consiguió recuperar las dos monedas de oro que había encontrado, el gallo testarudo se encaminó a casa de su amo.

Al ver aquel gallo tan enorme y tan fuerte, todas las aves que vivían en los gallineros del ricachón echaron a volar contentas detrás de él. Y cuando llegó a casa de su amo le dijo:

—Extiende una sábana grande en el suelo.

El gallo sacudió con fuerza las alas y comenzaron a caer monedas, joyas y piedras preciosas. Y luego vacas y terneras, toros y bueyes... El viejo estaba asombrado y no sabía qué hacer con tantas riquezas. Abrazaba a su gallo y le daba las gracias por todo lo que le había traído.

Desde aquel día, el gallo y el viejo tuvieron una vida llena de comida y risas. Construyeron una casa grande con un jardín muy hermoso y enormes corrales. El viejo le compró a su gallo unas botas amarillas y un collar de oro y todos los días salía de paseo con él.

El gallo iba por las calles del pueblo muy orgulloso con su collar de oro y sus botas amarillas.

Que te corta corta

Nicolás Guillén

¡Qué cola tan larga
tiene este ratón!
Corta, corta, corta…
¿Quién se la cortó?

¡Qué pico tan grande
tiene este tucán!
Corta, corta, corta…
¿Quién lo cortará?

¡Qué rabo tan gordo
tiene este león!
Corta, corta, corta…
¿Quién se lo cortó?

¡Qué carne tan dura
tiene este caimán!
Corta, corta, corta…
¿Quién la cortará?

A la corta, corta
y a la corta va
corta que te corta,
que te cortará.

Adivinanzas

Adivina, adivinanza,
qué se pela por la panza.

(La naranja)

Colorín, colorado,
chiquito, pero bravo.

(El chile)

Oro parece, plata no es,
quien no lo adivine, bien bobo es.

(El plátano)

Te la digo y no me entiendes,
te la repito y no me comprendes.

(La tela)

Un negocio redondito

Anónimo

Había una vez dos jóvenes que volvían a su pueblo para pasar las fiestas. Iban andando por un camino rodeado de naranjos cuando uno le dijo al otro.

—Vicente, tengo una gran idea. Si hiciéramos algún negocio por el camino, tendríamos más dinero para gastar en las fiestas del pueblo.

—No está mal pensado, Jacinto. Pero con lo que tenemos, como no nos metamos de ladrones, no se me ocurre otra manera de hacer dinero camino a casa.

—¡Verás, hombre! Con el dinero que llevamos entre los dos compraremos una canasta de naranjas. Luego iremos a la plaza a venderlas a cinco centavos cada una. Así nos ganaremos un buen dinerito.

Pensado y hecho, en cuanto encontraron a quién comprarle la canasta de naranjas lo hicieron. Sólo les sobraron cinco centavos.

Para que no fuera cansado cargar las naranjas, decidieron hacerlo por turnos. Cada diez minutos la canasta cambiaba de manos.

Ya habían recorrido un buen trecho cuando Jacinto le dijo a Vicente, que era quien llevaba la canasta en ese momento:

—Oye, tengo sed, y además cinco centavos. Véndeme una naranja. Lo mismo da que me la vendas a mí que a cualquier otro.

Vicente pensó que eso era justo y le entregó a Jacinto una naranja a cambio de los cinco centavos.

Un buen rato después, llevaba el cesto Jacinto y Vicente exclamó:

—¡Pues yo también tengo sed!, de manera que ahora me puedes tú vender una naranja. Al cabo que tengo la moneda que tú me diste.

Su amigo accedió amablemente. Y así fue la moneda de uno a otro y las naranjas de otro a uno hasta que al final la canasta quedó vacía.

—¡Oye! ¿Sabes que ya nos hemos quedado sin naranjas?

—¡Claro está! —respondió Vicente— ¡Como que las hemos vendido todas!

—Pues si las hemos vendido todas, ¿cómo es que no tenemos más que cinco centavos?

—¡No puede ser, hombre! Si hemos vendido treinta naranjas a cinco centavos cada una, deberíamos tener un peso con cincuenta centavos!

—Entonces, ¿quién nos robó el dinero?

Las cinco vocales

Anónimo

La A
En el mar y no me mojo;
en brasas y no me abraso;
en el aire y no me caigo,
y me tienes en tus brazos.

La E
En medio del cielo estoy
sin ser lucero ni estrella,
sin ser sol ni luna bella;
a ver si aciertas quién soy.

La I
Soy un palito
muy derechito
y encima de la frente
tengo un mosquito.

La O
La última soy en el cielo
y en Dios el tercer lugar,
siempre me ves en navío
y nunca estoy en el mar.

La U
El burro la lleva a cuestas,
metida está en el baúl,
yo no la tuve jamás
y siempre la tienes tú.

Las bodas de la mariposa

Amado Nervo

Te vamos a casar,
mariposa de colores,
te vamos a casar.
Tus madrinas serán flores.
—Y ¿por qué me he de casar
sin hacerme del rogar?
—Te vamos a casar,
mariposa de colores,
te vamos a casar;
tus madrinas serán flores.

—Yo —dice el caracol—
te daré para mansión,
amiga tornasol,
te daré mi habitación.
—Lo que da un amigo fiel,
yo lo acepto siempre de él.
—Yo —dice el caracol—
te daré para mansión
amiga tornasol,
te daré mi habitación.

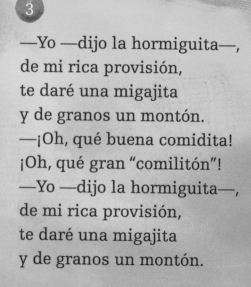

—Yo —dijo la hormiguita—,
de mi rica provisión,
te daré una migajita
y de granos un montón.
—¡Oh, qué buena comidita!
¡Oh, qué gran "comilitón"!
—Yo —dijo la hormiguita—,
de mi rica provisión,
te daré una migajita
y de granos un montón.

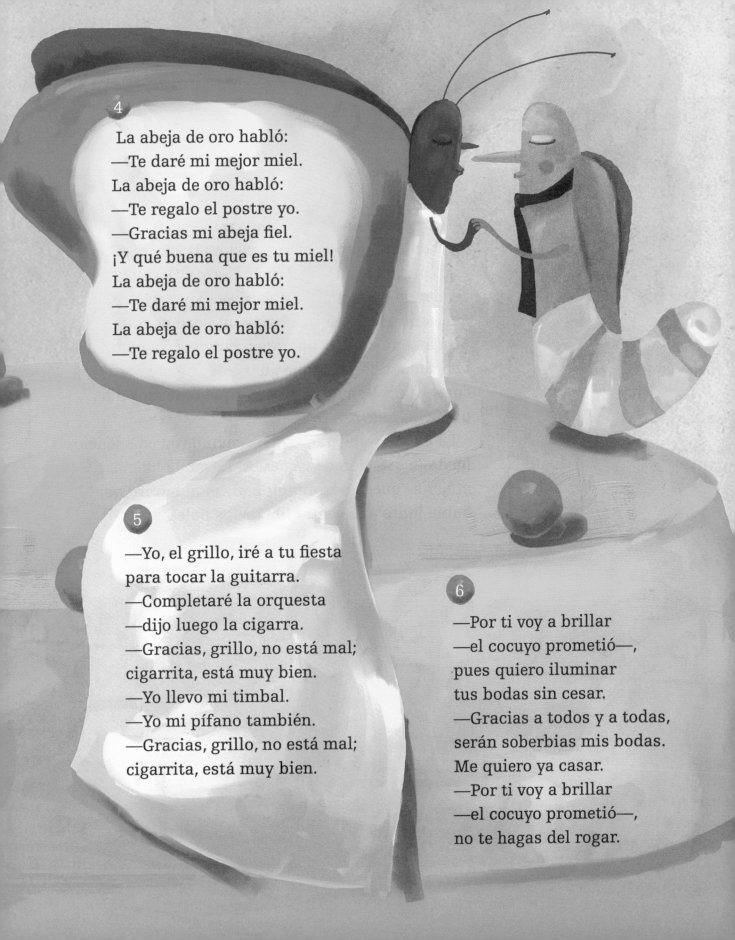

4

La abeja de oro habló:
—Te daré mi mejor miel.
La abeja de oro habló:
—Te regalo el postre yo.
—Gracias mi abeja fiel.
¡Y qué buena que es tu miel!
La abeja de oro habló:
—Te daré mi mejor miel.
La abeja de oro habló:
—Te regalo el postre yo.

5

—Yo, el grillo, iré a tu fiesta
para tocar la guitarra.
—Completaré la orquesta
—dijo luego la cigarra.
—Gracias, grillo, no está mal;
cigarrita, está muy bien.
—Yo llevo mi timbal.
—Yo mi pífano también.
—Gracias, grillo, no está mal;
cigarrita, está muy bien.

6

—Por ti voy a brillar
—el cocuyo prometió—,
pues quiero iluminar
tus bodas sin cesar.
—Gracias a todos y a todas,
serán soberbias mis bodas.
Me quiero ya casar.
—Por ti voy a brillar
—el cocuyo prometió—,
no te hagas del rogar.

La pata Dedé

Anónimo

Hace muchos años una buena mujer, cansada de vivir en un lugar en el que casi no llovía, decidió irse con su hermana a Minas Gerais. Después de vender su casa, juntó a sus nueve hijos y les pidió que cada uno llevara consigo un poco de ropa. Ella hizo lo mismo, aunque incluyó en su equipaje una canastilla en la que guardó a su pata consentida, llamada Dedé, porque todos los días ponía un huevo.

La mamá y sus nueve hijos caminaron en silencio hasta la estación de trenes. Al llegar, la buena mujer se quedó sorprendida al ver el letrero que había junto a la ventanilla de los boletos:

NO SE PERMITE VIAJAR CON ANIMALES

"Imposible separarme de Dedé", pensó. "Y como además ya no puedo regresar porque vendí la casa, no me queda más remedio que viajar con mi querida pata."

—Deme diez boletos —dijo con prisas.

—¡Cuac, cuac! —se escuchó desde el fondo de la canastilla.

—Disculpe, señora, no la escuché bien —respondió extrañado el vendedor.

—Que quiero diez boletos.

—¡Cuac, cuac!

—¿No escuchó usted el graznido de un pato?

—¿Un pato? ¡Qué va, no he escuchado nada!

—¡Cuac, cuac! —volvió a oírse desde la canastilla.

—Señora, será mejor que no mienta: usted tiene un pato.

—¿Un pato, yo?

—¡Cuac, cuac!

—Está prohibido subirse al tren con animales. ¿Qué no leyó el letrero? Abra la canastilla que lleva en la mano.

—¿Por qué he de abrirla?

—Porque usted lleva un pato escondido en ella. Si quiere que le venda los boletos primero deberá abrir la canastilla.

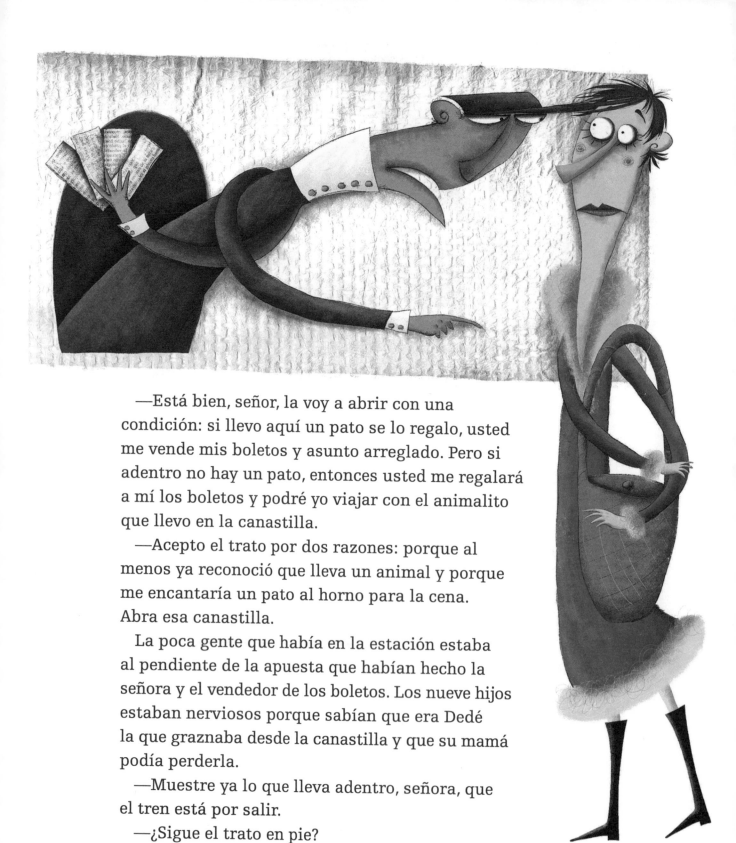

—Está bien, señor, la voy a abrir con una
condición: si llevo aquí un pato se lo regalo, usted
me vende mis boletos y asunto arreglado. Pero si
adentro no hay un pato, entonces usted me regalará
a mí los boletos y podré yo viajar con el animalito
que llevo en la canastilla.

—Acepto el trato por dos razones: porque al
menos ya reconoció que lleva un animal y porque
me encantaría un pato al horno para la cena.
Abra esa canastilla.

La poca gente que había en la estación estaba
al pendiente de la apuesta que habían hecho la
señora y el vendedor de los boletos. Los nueve hijos
estaban nerviosos porque sabían que era Dedé
la que graznaba desde la canastilla y que su mamá
podía perderla.

—Muestre ya lo que lleva adentro, señora, que
el tren está por salir.

—¿Sigue el trato en pie?

—Adelante. Ya me estoy saboreando la cena.

Ante los ojos de sus hijos, de varios curiosos y del vendedor, la señora levantó la tapa de la canastilla. Dedé se asomó:

—¡Cuac, cuac!

—¡Pato al horno! ¡Pato al horno! —gritó lleno de entusiasmo el vendedor de los boletos del tren—. ¡Pato al horno para mi cena!

—Un momento —dijo la señora.

Levantó un poco más la tapa y buscó algo en el interior de la canastilla. Al fin sacó un huevo.

—Como bien puede ver —le mostró el huevo—, no es un pato lo que llevo aquí, sino una pata.

Todos los curiosos sonrieron al ver la escena:

—¡Ganó la señora!

—¡Que le dé gratis los boletos del tren!

—¡Es una pata!

El vendedor apretó los dientes y cerró los puños del coraje que tenía. Tomó diez boletos y se los entregó a la señora.

Cuando ella y sus nueve hijos se subieron al tren se alcanzó a escuchar la voz de Dedé:

—¡Cuac, cuac!

Adivinanzas

En lo alto vive,
en lo alto mora,
en lo alto teje
la tejedora.
(La araña)

¿Quién es el que
bebe por los pies?
(El árbol)

Adivina, adivinanza,
¿qué tiene el rey en la panza?
(El ombligo)

¿Qué es lo que es algo
y a la vez nada?
(El pez)

Mariposa

Federico García Lorca

Mariposa del aire,
qué hermosa eres,
mariposa del aire
dorada y verde,
mariposa del aire,
¡quédate ahí, ahí, ahí...!
No te quieres parar,
pararte no quieres.
Mariposa del aire
dorada y verde.
Luz de candil,
mariposa del aire,
¡quédate ahí, ahí, ahí...!
¡Quédate ahí!
Mariposa, ¿estás ahí?

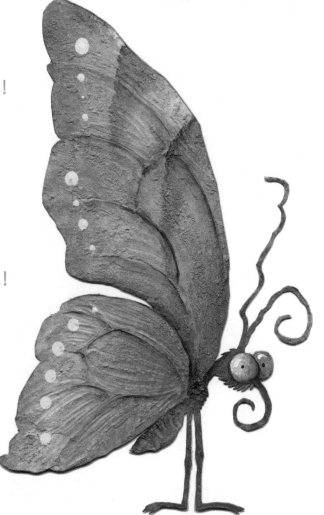

Los siete cabritos y el lobo

Charles Perrault

Había una vez una cabra que tenía siete cabritos.
Un día los llamó y les dijo:

—Voy al bosque a buscar comida para ustedes. No abran
la puerta a nadie. Tengan cuidado con el lobo.
Su voz es ronca y tiene las patas negras. Es malo
y tratará de engañarlos.

Los cabritos prometieron no abrir a nadie
y la cabra salió.

Al poco rato llamaron a la puerta: ¡Tan! ¡Tan!

—Abran, hijos míos, que soy su madre.

—No, no vamos a abrirte. Tienes la voz muy
ronca. Tú no eres nuestra madre, eres el lobo.

El lobo se marchó enojado, pero no dijo
nada. Fue a un corral y se comió una docena
de huevos crudos para que se le hiciera
más finita la voz.

Volvió a casa de los cabritos y llamó otra
vez: ¡Tan! ¡Tan!

—Abran, hijos míos, que soy su madre.

—Enséñanos la pata.

El lobo levantó la pata y los cabritos
al verla dijeron:

—No, no vamos a abrirte. Tienes la pata negra. Nuestra madre la tiene blanca. Tú eres el lobo.

El lobo se marchó furioso, pero tampoco dijo nada. Fue al molino, metió la pata en un saco de harina para que se blanqueara y volvió a tocar la puerta de los cabritos: ¡Tan! ¡Tan!

—Abran, hijos míos, que soy su madre. Los cabritos gritaron:

—Enséñanos primero la pata.

El lobo levantó la pata, y cuando vieron que era blanca, como la de su madre, abrieron la puerta.

Al ver al lobo se asustaron y corrieron a esconderse. Pero el lobo, que era más fuerte, se abalanzó sobre ellos y se los fue tragando a todos de un solo bocado, menos al más chiquito, que se metió en la caja del reloj y no lo encontró.

Cuando la madre de los cabritos llegó a casa vio la puerta abierta. Al entrar advirtió que todas las cosas estaban revueltas y tiradas por el suelo. Empezó a llamar a sus hijos y a buscarlos, pero no los encontró por ningún lado.

De pronto, salió el chiquito de su escondite y le contó a su madre que el lobo había engañado a sus hermanos y se los había comido.

La cabra fue por su costurero, y salió de la casa llorando. El cabrito más pequeño iba detrás de ella.

Cuando llegaron a un pozo de agua vieron al lobo tumbado a la orilla del río. Estaba dormido y roncaba. La cabra se acercó con cuidado y vio que tenía la panza muy abultada. Sacó las tijeras y se la abrió de arriba abajo.

Los cabritos salieron saltando.

—¡Están vivos! —gritó lleno de emoción el séptimo cabrito.

En seguida, la cabra llenó la barriga del lobo con piedras y luego se la cosió con la aguja y el hilo. Y cogiendo a sus hijos marchó a casa con ellos, muy de prisa, para llegar antes de que se despertara el lobo.

Cuando el lobo se despertó tenía mucha sed y se levantó para beber agua del pozo. Pero las piedras le pesaban tanto que rodó hasta el río y se ahogó.

Rimas de sol y sal

Aramís Quintero

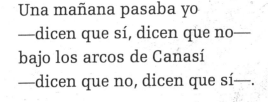

Una mañana pasaba yo
—dicen que sí, dicen que no—
bajo los arcos de Canasí
—dicen que no, dicen que sí—.

Debajo de ellos algo ocurrió
—dicen que sí, dicen que no—
y estoy seguro porque lo vi
—dicen que no, dicen que sí—.

Me sorprendí, me maravilló
—dicen que sí, dicen que no—
y en largo rato no me moví
—dicen que no, dicen que sí—.

¿Quién va a creerlo si no lo vio?
—dicen que sí, dicen que no—.
¿Quién va a creerme ese cuento a mí?
—dicen que no, dicen que sí—.

Mejor me callo lo que pasó
—dicen que sí, dicen que no—
bajo los arcos de Canasí
—dicen que no, dicen que sí—.

El pastor bromista

Esopo

Un joven pastor, que cuidaba un rebaño de ovejas cerca de un rancho, se divertía asustando a los habitantes del lugar:

—¡Ahí viene el lobo, ahí viene el lobo! —gritaba.

Cuando los vecinos llegaban para ayudarlo a salvar a sus ovejas, se reía de ellos porque les había jugado una broma.

Pero uno de esos días, el lobo sí llegó de verdad. El joven pastor, ahora sí muy asustado, gritaba lleno de terror:

—¡Por favor, ayúdenme, el lobo está matando a mis ovejas!

Pero ya nadie puso atención a sus gritos, y mucho menos fue a ayudarlo. El lobo, viendo que nadie lo detenía y que el pastorcillo estaba solo, hirió y se comió a todas las ovejas que pudo.

Moraleja: Al mentiroso nunca se le cree, aun cuando diga la verdad.

Greguerías

Ramón Gómez de la Serna

El cocodrilo es una maleta
que viaja por su cuenta.

Las almejas son las castañuelas del mar.

El agua se suelta el pelo en las cascadas.

La pulga hace guitarrista al perro.

Los tornillos son clavos
peinados con raya en medio.

El roble
y el leñador

Anónimo

En un enorme y frondoso bosque acostumbraba
trabajar un leñador que cada día juntaba madera suficiente
como para llenar una carreta.

Un día se acercó a un hermoso roble con la intención de derribarlo.
Preparó el hacha y estaba a punto de dar el primer golpe cuando
escuchó una voz que salía del tronco:

—Detente, hombre cruel, ¿qué te hice para que me arranques
la vida? ¿Acaso te hago un daño cuando te protejo del sol con mis
grandes ramas? ¿No sabes que también soy un ser vivo, igual que tú?

—Necesito leña —respondió el leñador.

—¡Leña! ¿Acaso no te basta la de todos los árboles que
ya has derribado?

—No, necesito la tuya. Pero tendré consideración de ti y sólo
te quitaré un brazo.

—Pero uno de mis brazos te dará poca leña, entonces volverás
por más y acabarás conmigo. No cortes mis brazos.

—Tengo que hacerlo, necesito de ti para vivir.

—A ver, dime, ¿qué harías si en este preciso instante se apareciera un león y te dijera: "Dame uno de tus brazos, necesito de ti para vivir"?

—Escaparía de él.

—¡Tonto! ¿No sabes que es más veloz que tú?

—Bueno, entonces me treparía a tus ramas.

—Y yo te ayudaría gustoso. ¿Ya ves cómo tienes necesidad de mí? Y además, con mis ramas y mi follaje impido que las aguas que riegan la tierra se evaporen. Y sin mí, el aire que respiras estaría sucio.

El leñador se quedó pensativo y al final dijo:

—Tienes toda la razón, roble. Perdóname por intentar pagarte todos esos beneficios con la muerte. Adiós.

—Gracias, amigo mío, y que seas feliz —respondió el gran roble agitando todas sus hojas.

Los diez
perritos

Anónimo

Yo tenía diez perritos.
Uno se cayó en la nieve,
ya nomás me quedan nueve,
nueve, nueve, nueve, nueve.

De los nueve que tenía,
uno se comió un bizcocho,
ya nomás me quedan ocho,
ocho, ocho, ocho, ocho.

De los ocho que tenía,
uno se golpeó la frente,
ya nomás me quedan siete,
siete, siete, siete, siete.

De los siete que tenía,
uno se quemó los pies,
ya nomás me quedan seis,
seis, seis, seis, seis.

De los seis que yo tenía,
uno se escapó de un brinco,
ya nomás me quedan cinco,
cinco, cinco, cinco, cinco.

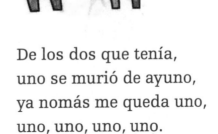

De los dos que tenía,
uno se murió de ayuno,
ya nomás me queda uno,
uno, uno, uno, uno.

Y ese uno que quedaba,
se lo llevó mi cuñada,
ya nomás me queda nada,
nada, nada, nada, nada.

Cuando ya no tenía nada,
mi perra parió otra vez
y ahora ya tengo otros diez,
diez, diez, diez, diez.

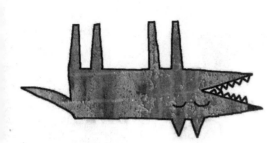

De los cinco que tenía,
uno se metió en un teatro,
ya nomás me quedan
cuatro, cuatro, cuatro,
cuatro, cuatro.

De los cuatro que tenía,
uno se cayó al revés,
ya nomás me quedan tres,
tres, tres, tres, tres.

De los tres que yo tenía,
a uno le pegó la tos,
ya nomás me quedan dos,
dos, dos, dos, dos.

Las aventuras del
caballero
Blancandino

Anónimo

El rey de Frigia tenía sólo un hijo,
y lo quería tanto que temía que
cuando creciera su vida
estuviera en peligro a causa de
las armas. Así que ordenó que
nunca se hablara de guerras, armas
o combates en presencia del joven,
y que tampoco le enseñaran nunca
un cuchillo o una espada.

Los caballeros del reino cumplieron
rigurosamente con las órdenes del rey,
así que siempre que llegaban al palacio
iban desarmados.

Pero Blancandino, que así se llamaba
el joven príncipe, era muy curioso, y cierto
día entró a un salón del palacio en el que
había unas pinturas muy grandes de
caballeros que combatían con espadas
y que usaban armaduras. El príncipe le
preguntó a su padre quiénes eran esos
personajes, y de mala gana el rey le
contestó que eran "caballeros heroicos".

Aunque el rey ordenó que se quitaran las pinturas de la pared, Blancandino no pudo olvidarlas. Sentía mucha admiración por esos caballeros y, en secreto, deseaba convertirse él también en un héroe. Fue así como consiguió que un antiguo soldado de su padre le enseñara, a escondidas, el manejo de la lanza, el escudo y la espada.

Al poco tiempo, Blancandino se había vuelto un combatiente muy hábil. Por ello decidió hacer un viaje en busca de aventuras. Una tarde en que cruzaba un bosque, se encontró a un caballero herido, que le dijo:

—Señor, ayúdame. Me hirió a traición un malvado caballero que raptó a la dama a quien yo escoltaba.

—Quisiera ayudarte, pero no tengo armas —contestó Blancandino.

—Eso se arregla fácil —dijo el caballero herido— toma mi armadura y llévate mi espada. ¡Ve en busca del malvado!

Blancandino hizo lo que el caballero le decía, montó en su caballo y fue tras el traidor. Pronto lo alcanzó, iniciaron un feroz combate y Blancandino triunfó. Volvió junto con la dama al lugar donde estaba el herido, le devolvió la armadura y las armas y siguió su camino.

Poco tiempo después, Blancandino llegó a la orilla de un río muy ancho. Como no había un puente que uniera las dos orillas, sin ningún temor se decidió a cruzarlo montado en su caballo. Cuando iba a la mitad surgió de las aguas un caballero en un caballo blanco, que le advirtió:

—No sigas, si cruzas al otro lado, encontrarás el país de la Princesa Orgullosa, que manda encarcelar a todos los extranjeros que llegan a sus tierras.

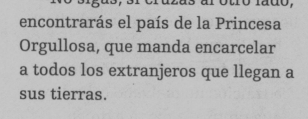

Blancandino dijo que de todos modos él seguiría su camino. El caballero admiró el valor del muchacho y se hundió de nuevo en las aguas de las que había salido.

El príncipe llegó a la otra orilla y alcanzó a ver una comitiva de

damas y caballeros que acompañaban a una hermosa doncella: era ni más ni menos que la Princesa Orgullosa. Tan bella era que Blancandino se quedó mirándola sin poder decir palabra. Y allí estuvo, sin moverse, hasta que se alejaron de su vista.

Al seguir su camino, el príncipe vio que unas naves guerreras del rey Alimodes estaban invadiendo el país de la Princesa Orgullosa. Blancandino quiso ayudarla, así que consiguió una armadura y una espada y fue al encuentro de los enemigos. Cuando estuvo frente a ellos, retó a los mejores guerreros a luchar contra él.

Once fueron los guerreros que aceptaron el reto de Blancandino.

Para sorpresa de todos, los fue venciendo uno a uno. La Princesa Orgullosa, al enterarse de lo sucedido, quedó muy agradecida al valiente príncipe. Tanto que le prometió que se casaría con él.

Sin embargo, los enemigos no se cruzaron de brazos. Varios guerreros siguieron al príncipe y le tendieron una trampa. Eran tantos que él no pudo luchar contra todos al mismo tiempo. Lo condujeron ante el rey Alimodes, quien ordenó que lo llevaran preso en un barco.

Aquel barco se hizo a la mar y, en una terrible tormenta, naufragó. El único hombre que logró salvarse de las bravas aguas del mar fue Blancandino, que nadó hasta una isla en la que fue adoptado por un rey. Allí consiguió formar un nuevo ejército y volvió a partir hacia el país de la Princesa Orgullosa.

Blancandino dirigió a sus hombres con astucia, y en una lucha que duró varias lunas y varios soles, venció al ejército invasor. Al fin la princesa salió a su encuentro llorando lágrimas de felicidad, pues pensaba que su amado había muerto en el mar. Se casaron y así fue como la Princesa Orgullosa dejó a un lado el orgullo y se convirtió en una reina sencilla y generosa.

Refranes y proverbios

El león cree que todos son de su misma condición.

(refrán mexicano)

No es hombre bueno quien descubre secreto ajeno.

(refrán español)

Quien debe y paga, no debe nada.

(refrán español)

Regalos

David Huerta

Este papel
es para él.

Un pirulí
es para ti.

Estas estrellas
son para ellas.

Estos zapatos
para los patos.

Los sapos bellos
son para ellos.

¿Y para mí
que tanto di?,

yo me pregunto:
¡todo el conjunto!

¡Tiemblen, dragones!

Robert Munsch

Elizabeth era una hermosa princesa. Vivía en un castillo enorme y tenía muchos vestidos elegantes. Además, pronto se casaría con su novio, el príncipe Ronaldo.

Por desgracia, un dragón destruyó su castillo, quemó todos sus vestidos y se llevó al príncipe Ronaldo.

Elizabeth decidió ir tras el dragón para rescatar a su novio. Pero antes necesitaba encontrar qué ponerse. Buscó por todos lados, y lo único que encontró fue una bolsa de papel. Elizabeth se la puso y partió en busca del dragón.

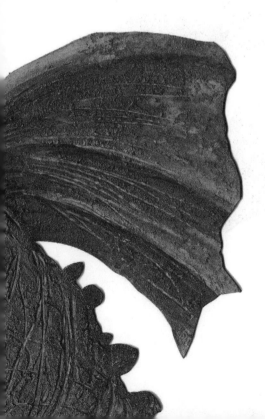

Fue muy fácil seguirlo. Sólo tuvo que seguir su rastro por los bosques quemados.

Después de un largo rato, Elizabeth llegó a una cueva con una gran puerta y un aldabón enorme. Elizabeth tomó el aldabón y tocó tres veces: ¡BANG, BANG, BANG!

El dragón asomó la nariz por la puerta y dijo:

—¡Vaya! ¡Una princesa! Me encanta comer princesas, pero hoy ya me comí un castillo entero. Soy un dragón muy ocupado. Regresa mañana.

Azotó la puerta tan fuerte, que Elizabeth por poco se queda sin nariz.

Elizabeth tomó el aldabón y llamó de nuevo a la puerta: ¡BANG, BANG, BANG!

El dragón se asomó una vez más y dijo:

—Ya te dije que te fueras. Me encanta comer princesas, pero hoy ya me comí un castillo entero. Soy un dragón muy ocupado. Regresa mañana.

—¡Espera! —exclamó Elizabeth—. ¿Es cierto que eres el dragón más listo y más feroz del mundo entero?

—Sí —dijo el dragón.

—¿Es cierto —preguntó Elizabeth— que puedes quemar hasta diez bosques con tu aliento de fuego?

—Desde luego —contestó.

El dragón tomó una gran bocanada de aire. Lanzó una llamarada que quemó no sólo diez, sino cincuenta bosques.

—¡Fantástico! —dijo Elizabeth.

El dragón tomó otra gran bocanada de aire y lanzó tanto fuego, que quemó otros cien bosques.

El dragón volvió a tomar aire, pero esta vez no salió nada.

El dragón no tenía fuego ni para asar una salchicha. Elizabeth dijo:

—Oye, dragón, ¿es cierto que puedes volar alrededor del mundo en tan sólo diez segundos?

—Por supuesto —le contestó.

El dragón tomó vuelo, dio un gran brinco y se elevó por los aires. Dio la vuelta al mundo en sólo diez segundos.

El dragón regresó muy cansado, pero Elizabeth gritó:

—¡Fantástico! ¡Hazlo otra vez!

El dragón se elevó de nuevo por los aires y dio la vuelta al mundo en tan sólo veinte segundos. Cuando regresó, estaba tan cansado que se acostó en el piso y se quedó profundamente dormido.

Elizabeth se acercó al dragón y le susurró suavemente:

—Oye, dragón…

Pero el dragón no se movió ni un poquito. Elizabeth levantó la oreja del dragón y metió su cabeza dentro. Entonces gritó tan fuerte como pudo:

—¡OYE, DRAGÓN!

El dragón estaba tan cansado que ni se inmutó. Elizabeth pasó por encima del dragón y abrió la puerta de la cueva. Ahí estaba el príncipe Ronaldo. Cuando la vio, el príncipe dijo:

—¡Elizabeth! ¡Estás hecha un desastre! Hueles a ceniza, tu pelo es un asco y vienes vestida sólo con una vieja y sucia bolsa de papel. Ni pienses que te dejaré rescatarme en esas fachas. Regresa cuando parezcas una princesa de verdad.

—Ronaldo —respondió Elizabeth—, tu ropa es muy elegante y estás muy bien peinado. Pareces un verdadero príncipe, pero en realidad eres un patán.

Después de todo, Elizabeth y Ronaldo no se casaron.

Refranes y proverbios

El huevo pertenece a aquel de quien es la gallina.
(refrán alemán)

El libro hace vivir.
(proverbio francés)

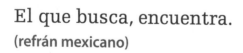

El que busca, encuentra.
(refrán mexicano)

El día y la noche

Anónimo

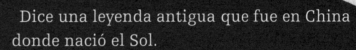

Dice una leyenda antigua que fue en China donde nació el Sol.

El Señor del Cielo vio que los días y las noches transcurrían iguales, y decidió hacer una gran bola de luz para que diera alegría y esperanza a los hombres. Así comenzó a existir el Sol.

Pero la noche se sintió triste por quedarse siempre oscura. Entonces el gigante Ti-Nu, que era su amigo, quiso consolarla, y como tenía unas manos enormes y fuertes, alcanzó al Sol y le robó un gran pedazo que guardó en un costal. Ti-Nu huyó, pero al correr se rompió el costal y fue derramando en el cielo pequeños pedazos de luz, que son las estrellas que vemos. Cuando llegó con su amiga la noche abrió el costal y salió una gran bola blanca: ¡la Luna! Y así los hombres nunca se quedaron completamente a oscuras.

Hay un hoyo en el fondo de la mar

Hay un hoyo en el fondo de la mar.
Hay un hoyo en el fondo de la mar.
Hay un hoyo, hay un hoyo,
hay un hoyo en el fondo de la mar.

Hay un tronco en el hoyo en el fondo de la mar.
Hay un tronco en el hoyo en el fondo de la mar.
Hay un tronco, hay un tronco,
hay un tronco en el hoyo en el fondo de la mar.

Hay una rama en el tronco en el hoyo en el fondo de la mar.
Hay una rama en el tronco en el hoyo en el fondo de la mar.
Hay una rama, hay una rama,
hay una rama en el tronco en el hoyo en el fondo de la mar.

Hay un nudo en la rama en el tronco en el hoyo en el fondo
                                        de la mar.
Hay un nudo en la rama en el tronco en el hoyo en el fondo
                                        de la mar.
Hay un nudo, hay un nudo,
hay un nudo en la rama en el tronco en el hoyo en el fondo
                                        de la mar.

Hay un sapo en el nudo en la rama en el tronco en el hoyo en
                                        el fondo de la mar.
Hay un sapo en el nudo en la rama en el tronco en el hoyo en
                                        el fondo de la mar.
Hay un sapo, hay un sapo,
hay un sapo en el nudo en la rama en el tronco en el hoyo en
                                        el fondo de la mar.

Hay un piojo en el sapo en el nudo en la rama en el tronco
                                        en el hoyo en el fondo de la mar.
Hay un piojo en el sapo en el nudo en la rama en el tronco
                                        en el hoyo en el fondo de la mar.
Hay un piojo, hay un piojo,
hay un piojo en el sapo en el nudo en la rama en el tronco
                                        en el hoyo en el fondo de la mar.

El pájaro Cu
y el tecolote

Anónimo

A pesar de lo que muchos creen, en las selvas hay días de mucho frío. Una mañana de esas estaba el pájaro Cu temblando, sin una sola pluma que lo abrigara. Se le ocurrió una gran idea: a cada pajarito que encontrara le pediría una pluma, y así se haría un vestido que lo protegiera.

A cuanto pájaro veía, el pájaro Cu le pedía muy amablemente una pluma, y como era muy simpático, todos aceptaban arrancarse una y dársela.

Un día se encontró con el tecolote, que, como siempre, estaba de mal humor. Al pedirle una pluma, el tecolote gritó un "¡No!" sonoro y se marchó muy indignado.

Los demás pájaros de la selva vieron que el tecolote era un egoísta, y volaron tras él para picotearlo. El tecolote huyó despavorido hasta un árbol que había sido partido por un rayo, se metió en un hueco y esperó allí toda la noche.

A la mañana siguiente, cuando quiso salir a buscar algo para comer, se encontró con los pajarillos de la selva, que de nuevo empezaron a picotearlo. Tuvo que volver a esconderse.

Así siguió el tecolote tratando de salir de día, pero siempre lo esperaban los pájaros para agarrarlo a picotazos. Se dio cuenta de que sólo podía ir a buscar su comida cuando ya todos estuvieran dormidos.

Y es así como el tecolote sólo puede salir de noche, mientras que en el día el pájaro Cu luce su hermoso plumaje de todos los colores.

La gallinita colorada

Anónimo

La gallinita colorada andaba en el patio buscando comida, y picoteaba por aquí y picoteaba por allá. Al fin se encontró un granito de maíz.

—¿Quién quiere venir conmigo a sembrar este granito de maíz? —preguntó a los demás animales de la granja.

—Yo no —respondió el guajolote.

—Conmigo no cuentes —dijo el gallo.

—A mí ni me mires —respondió el pato.

Y la gallinita colorada dijo:

—Yo solita lo sembraré.

Cuando el maíz se convirtió en una hermosa milpa llena de elotes, dijo la gallinita:

—¿Quién quiere venir conmigo a llevar el maíz al molino?

—Yo no —respondió el guajolote.

—Conmigo no cuentes —dijo el gallo.

—A mí ni me mires —respondió el pato.

Y la gallinita colorada dijo:

—Yo solita lo llevaré.

Cuando el maíz estuvo molido y convertido en masa, dijo la gallinita:

—¿Quién quiere venir conmigo para hacer unas ricas tortillas?

—Yo no —respondió el guajolote.

—Conmigo no cuentes —dijo el gallo.

—A mí ni me mires —respondió el pato.

Y la gallinita colorada dijo:

—Yo solita cocinaré.

Cuando las tortillas estuvieron cociditas y doradas, dijo la gallinita:

—¿Quién quiere comerse conmigo las ricas tortillas de maíz?

—¡Yo, que soy tu amigo! —gritó el guajolote.

—¡Yo, que siempre lo he sido! —dijo el gallo.

—¡Yo, que te quiero mucho! —respondió el pato.

Pero la gallinita colorada gritó:

—¡Pues no! Estas tortillas son para mis pollitos, que están muy chiquitos, y para mí.

La reina
de las abejas

Hermanos Grimm

Dos príncipes partieron un día en busca de aventuras y se entregaron a una vida disipada, por lo que no volvieron a aparecer por su casa.

El tercer hijo, al que llamaban Bobo, se dedicó a buscar a sus hermanos. Cuando los encontró, se burlaron de él. ¿Cómo pretendía, siendo tan simple, abrirse paso en el mundo cuando ellos, que tenían mucho más talento, no lo habían conseguido?

Caminaron los tres juntos y encontraron un hormiguero. Los dos mayores quisieron destruirlo para divertirse viendo cómo los animalitos correrían para poner a salvo sus huevecillos, pero el menor dijo:

—Dejen en paz a las hormigas, no permitiré que les hagan daño.

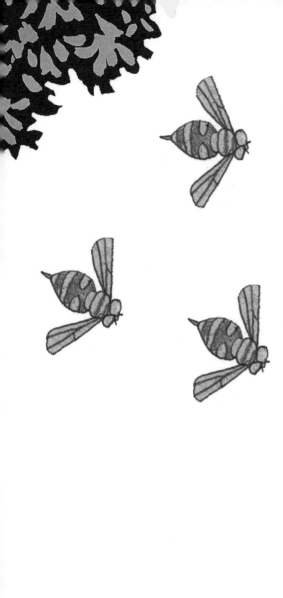

Siguieron andando hasta llegar a un lago en el que nadaban muchos patos. Los dos hermanos querían cazar unos cuantos para asarlos, pero el menor se opuso:

—Dejen en paz a los patos, no permitiré que los maten.

Al fin llegaron a un árbol que tenía una colmena tan llena de miel que se escurría por el tronco. Los dos mayores iban a encender fuego al pie del árbol para ahuyentar a los insectos y apoderarse de la miel, pero Bobo los detuvo:

—Dejen a las abejas en paz, no permitiré que las quemen.

Por último, llegaron a un castillo con caballerizas llenas de caballos de piedra en las que no se veía a nadie.

Recorrieron el castillo hasta que se encontraron frente a una puerta cerrada con tres cerrojos, pero que tenía en el centro una ventanilla por la que podía mirarse hacia el interior. Dentro estaba un hombrecillo de cabello gris y de baja estatura sentado a una mesa. Lo llamaron una y dos veces, pero parecía que él no los escuchaba. A la tercera se levantó, abrió los cerrojos y salió de la habitación. Sin decir una sola palabra, los llevó a una mesa llena de ricos platillos. Cuando terminaron de comer y beber, llevó a cada uno a un dormitorio separado.

A la mañana siguiente, el anciano fue por el mayor y lo llevó a una mesa de piedra, en la cual estaban escritas las tres pruebas que había que cumplir para desencantar el castillo. La primera decía: "En el bosque, entre el musgo, se hallan las mil perlas de las tres hijas del rey. Hay que recogerlas antes de la puesta del sol, en el entendido de que si falta una sola, el que hubiera emprendido la búsqueda quedará convertido en piedra." Salió el mayor y se pasó el día buscando. Al anochecer no había reunido más allá de cien perlas, por lo que le

sucedió lo que estaba escrito en la mesa: quedó convertido en piedra.

Al día siguiente, el segundo hermano emprendió la aventura. Tuvo más éxito que el mayor, ya que encontró doscientas perlas. Sin embargo, eran insuficientes: quedó transformado en piedra.

Finalmente, le tocó el turno a Bobo, el cual salió a buscar entre el musgo. Pero como sintió que el trabajo iba a ser largo y difícil, se sentó sobre una piedra y se puso a llorar. En ésas llegó la reina de las hormigas, a las que les había salvado la vida, seguida de cinco mil de sus súbditos. En muy poco tiempo reunieron todas las perlas.

La segunda prueba consistía en sacar del fondo del lago la llave del dormitorio de las princesas. Al llegar Bobo a la orilla, los patos a los que había salvado se le acercaron nadando, se sumergieron y al poco rato volvieron con la llave perdida.

La tercera prueba era la más difícil: consistía en descubrir cuál de las tres princesas era la más hermosa y la más joven. La dificultad estaba en que las tres se parecían como tres gotas de agua, sin que se advirtiera la menor diferencia. Lo único que las distinguía es que antes de dormir habían comido diferentes golosinas. La mayor, un terrón de azúcar; la segunda, un poco de jarabe, y la menor, una cucharada de miel.

Llegó entonces la reina de las abejas que Bobo había salvado del fuego, y exploró la boca de cada una, hasta que quedó detenida en la boca de la que se había comido la miel, con lo cual el príncipe pudo reconocer a la verdadera. Entonces, el hechizo desapareció, todas despertaron y los que estaban convertidos en piedra recuperaron su antigua condición.

Bobo se casó con la princesa más joven y bella, y heredó el trono a la muerte de su suegro. Sus dos hermanos recibieron por esposas a las otras dos princesas.

La tortuga
gigante

Horacio Quiroga

Había una vez un hombre que vivía en una gran ciudad, y de tanto que trabajaba un día se enfermó. Aunque los médicos le dijeron que solamente yéndose al campo podría curarse, él no quería ir, porque tenía varios hermanos chicos a los que debía mantener. Como cada día se enfermaba más, un amigo suyo, que era director del Zoológico, le dijo:

—Amigo, váyase a vivir al campo. Como usted tiene mucha puntería con la escopeta, vaya de cacería allá por el monte, que yo le compraré las pieles de los animales. Y le pagaré por adelantado para que sus hermanitos puedan comer bien.

El hombre enfermo aceptó y se fue a vivir al monte. Allá estaba solo en el bosque, y él mismo cocinaba. Comía pájaros y animales del monte, que cazaba con la escopeta, y también se alimentaba de frutos. Dormía bajo los árboles, y si llovía, rápidamente se construía un techito con hojas de palmera; allí se quedaba sentado, muy contento en medio del bosque a esperar a que pasara el mal tiempo.

No se olvidaba del acuerdo con su amigo, así que guardaba las pieles de los animales que cazaba.

Resulta que el aire del campo le ayudó, pues ya tenía otra vez buen color en el rostro, se sentía fuerte y comía con mucho apetito.

Justamente un día que tenía mucha hambre, porque hacía dos días que no cazaba nada, vio a la orilla de una gran laguna un tigre enorme que quería comerse una tortuga, y la sacudía para meterle adentro una pata y sacar la carne con las garras.

Cuando vio al hombre, el tigre lanzó un terrible rugido y se lanzó de un salto sobre él. Pero el cazador logró dispararle antes de que lo alcanzara. Después le quitó la piel, tan grande que casi podría hacerse una alfombra para un cuarto.

Luego, se le ocurrió que para calmar su hambre podía comerse la tortuga, pero cuando se acercó a recogerla, vio que estaba muy lastimada por las garras del tigre y sintió lástima.

A pesar del hambre que sentía, el hombre se llevó a la tortuga hasta el lugar donde dormía y la curó. Le vendó la cabeza con pedazos de tela de su propia camisa. La tortuga era muy grande y pesaba casi lo mismo que un hombre. Se quedó muy quietecita en un rincón, y allí estuvo durante varios días sin moverse.

El hombre la curaba todos los días, le daba de comer y le sobaba el lomo. Con tantos cuidados la tortuga se curó al fin. Pero entonces fue el hombre quien se enfermó. Tenía fiebre y le dolía todo el cuerpo.

Un día no pudo levantarse más. La fiebre aumentaba y la garganta le quemaba de tanta sed. El hombre comprendió entonces que estaba muy enfermo, y dijo:

—Voy a morir, no tengo a nadie que me dé agua, siquiera. Y yo ya no puedo levantarme.

Sin embargo, la tortuga lo había escuchado, y entendió lo que el cazador decía. Y ella pensó entonces:

—Este buen hombre no me comió, aunque tenía mucha hambre, y además me curó. Ahora yo lo voy a cuidar.

Fue a la gran laguna, buscó una concha vacía de tortuga y, después de limpiarla bien, la llenó de agua y le dio de beber al hombre, que estaba acostado sobre su manta y se moría de sed.

Luego buscó raíces y frutas tiernas para darle de comer, sólo las que alcanzaba a arrancar, pues las tortugas no son trepadoras de árboles.

El cazador estaba tan mal que no se daba cuenta de quién lo alimentaba.

Así fue como, un día, el hombre recobró el conocimiento. Miró alrededor y vio que estaba solo con la tortuga, y dijo:

—Estoy solo en el monte, la enfermedad volverá y nadie podrá llevarme a la gran ciudad, donde me pueden curar.

Pero también esta vez la tortuga lo oyó, y se dijo:

—Si se queda aquí en el bosque se va a morir, tengo que llevarlo a la ciudad.

De inmediato se puso a trabajar: cortó enredaderas delgadas y fuertes, puso con mucho cuidado al hombre encima de su lomo y lo amarró bien con las enredaderas para que no se cayera. También logró acomodar la escopeta y las pieles y empezó el largo viaje hacia la gran ciudad.

La tortuga y su cargamento anduvieron por montes, campos, cruzaron ríos anchísimos y atravesaron pantanos en los que casi quedaba enterrada, siempre con el hombre enfermo encima. Después de horas de caminar, se detenía, deshacía los nudos y acostaba al hombre con mucho cuidado, luego iba a buscar agua y raíces tiernas, para darle al moribundo. Ella comía también, aunque estaba tan cansada que prefería dormir.

Así anduvo durante días y noches, y en ese largo viaje la tortuga se fue cansando. A veces se quedaba quieta, ya sin fuerzas, y el hombre, que no se daba cuenta de nada, decía:

—Voy a morir, me siento cada vez más enfermo, y sólo en la ciudad me podría curar. Pero voy a morir aquí, solo, en el monte.

Él creía que todavía estaba en el bosque. Al escucharlo, la tortuga volvía a caminar. Pero llegó un día, un atardecer, en que la pobre tortuga no pudo más. Hacía una semana que no se detenía a comer, para llegar más pronto. Ya no tenía fuerzas para seguir.

Al oscurecer, alcanzó a ver una luz lejana en el horizonte. Cerró los ojos porque pensó que iba a morir ahí, junto con el pobre cazador.

Y resulta que esa luz era de la gran ciudad, a donde ya había llegado, pero no lo sabía. De pronto escuchó una vocecita que le decía:

—¡Vaya! Eres la tortuga más grande que he visto en toda mi vida. ¿Qué llevas en tu lomo? ¿Leña?

—No —le respondió la tortuga muy triste—. Es un hombre. Iba a llevarlo a la gran ciudad, pero ya no podré hacerlo. Estoy agotada.

—¡Pero no seas tonta! —dijo riendo el ratoncito. Esa luz que ves allá es la ciudad, ¡ya llegaste!

Al oír esto, la tortuga sintió que sus fuerzas renacían y volvió a caminar; ¡todavía podía salvar al cazador!

Al amanecer llegó a la ciudad, donde encontró el Zoológico. El director vio llegar a esa tortuga gigante, cubierta de lodo y muy, pero muy flaca, que traía acostado en su lomo y atado con enredaderas a su pobre amigo enfermo. El director corrió a traer algunas medicinas para curarlo.

Tiempo después, el cazador le agradeció muchísimo a la tortuga aquel largo viaje que hizo para salvarlo. Pero no podía quedarse con ella, pues su casa era muy pequeña. Así que la tortuga se quedó muy contenta a vivir en el Zoológico, donde todavía los niños pueden verla comiendo pastito y yerbitas por ahí.

El enemigo
verdadero

Jairo Aníbal Niño

Un día me encontré cara a cara con un tigre y supe
que era inofensivo. En otra ocasión tropecé con una
serpiente de cascabel y se limitó a hacer sonar
las maracas de su cola y a mirarme pacíficamente.
   Hace algún tiempo me sorprendió la presencia
de una pantera y comprobé que no era peligrosa.
   Ayer fui atacado por una gallina, el animal más
sanguinario y feroz que hay sobre la tierra.
   Eso fue lo que les dijo el gusanito moribundo
a sus amigos.

El barco chiquito

Anónimo

Había una vez un barco chiquito,
y había una vez un barco chiquito,
y había una vez un barco chiquito,
que no podía, que no podía navegar.

Pasaron una, dos, tres, cuatro,
cinco, seis, siete semanas;
pasaron una, dos, tres, cuatro,
cinco, seis, siete semanas;
pasaron una, dos, tres, cuatro,
cinco, seis, siete semanas;
y los víveres, y los víveres
empezaron a escasear.

Y si esta historia no te parece larga,
y si esta historia no te parece larga,
y si esta historia no te parece larga,
volveremos, volveremos, volveremos
a empezar.

Vamos a contar
mentiras

Anónimo

Ahora que vamos despacio
vamos a contar mentiras:
por el mar corren las liebres
por el monte, las sardinas.

Salí de mi campamento
con hambre de tres semanas
me encontré con un ciruelo
cargadito de manzanas.

Empecé a tirarle piedras
y caían avellanas.
Con el ruido de las nueces
salió el dueño del peral.

—Chiquillo, no tires piedras
que no es mío el melonar,
es de una pobre señora
que vive en El Escorial.

La rana
encantada

Adaptación de Francisco Hinojosa

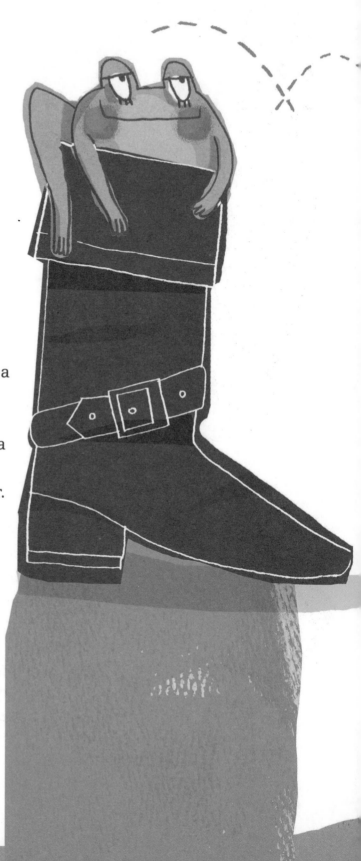

Hace muchos años vivía una princesa
a quien le encantaban los objetos de
oro. Su juguete preferido era una bola
de oro macizo. Cuando hacía mucho
calor, le gustaba sentarse junto a un
viejo pozo para jugar con ella. Sucedió
una vez que al echar la bola hacia arriba
y tratar de atraparla, resbaló de sus
manos, cayó al suelo y se fue rodando
al agua. El pozo era tan profundo que la
princesa se dio cuenta de que había
perdido su bola de oro. Se puso a llorar.

De repente, escuchó una voz.

—¿Qué te sucede, hermosa princesa?
¿Por qué lloras?

La princesa miró por todas partes,
pero no vio a nadie.

—Aquí abajo —dijo la voz.

La princesa miró hacia abajo, y vio
una rana que salía del agua.

—Ah, ranita, estoy triste porque mi
bola de oro cayó en el pozo.

—Yo puedo ayudarte, pero tendrías
que darme algo a cambio.

—Puedo darte mis perlas o mis joyas. ¿Qué tal mi corona de oro?

—¿Y qué hago yo con una corona? Te ayudaré a encontrar la bola de oro si me prometes ser mi mejor amiga. Iría a cenar a tu castillo y me quedaría a pasar la noche de vez en cuando contigo. ¿Qué te parece?

—Te prometo lo que quieras con tal de que me devuelvas mi bola —dijo la princesa, aunque pensaba que aquello eran tonterías de la rana.

La rana se metió en el pozo y salió con la bola de oro en la boca. La princesa la recogió y, sin dar las gracias, se fue corriendo al castillo.

—¡Espera! —dijo la rana—. ¡No puedo correr tan rápido como tú!

Pero de nada le sirvió gritar porque la princesa no hizo caso.

Al día siguiente, cuando la familia real estaba cenando, alguien llamó a la puerta del comedor. Luego se escuchó una voz:

—Princesa, ábreme la puerta.

Llena de curiosidad, se levantó a abrir. Al ver a la rana, cerró rápidamente la puerta. El rey notó que algo extraño estaba pasando.

—¿Algún gigante vino a buscarte? — le preguntó a su hija.

—No es ningún gigante, es sólo una rana.

—¿Y qué quiere esa rana?

—Ayer, cuando jugaba junto al pozo, se me cayó mi bola de oro al agua. La rana, al verme llorando, se ofreció a ayudarme. Sacó la bola a cambio de que fuera su mejor amiga.

Mientras la princesa le explicaba todo a su padre, la rana seguía llamando a la puerta.

—Déjame entrar, princesa. ¿Ya no recuerdas lo que prometiste?

—Hija, si hiciste una promesa, debes cumplirla. Déjala entrar.

De mala gana, la princesa abrió la puerta. La rana la siguió hasta la mesa y le dijo:

—Levántame. Quiero estar junto a ti.

—Pero, ¿quién te crees?

El rey miró con severidad a su hija y ella tuvo que acceder. Como la silla no era lo suficientemente alta, la rana le pidió a la princesa que la subiera a la mesa. Una vez allí, la rana dijo:

—Acércame tu plato de oro para que comamos juntas.

La princesa hizo lo que le pidió, pero a ella se le quitaron por completo las ganas de comer.

Una vez que la rana terminó, dijo:

—Estoy muy cansada. Llévame a dormir a tu cuarto.

La idea de compartir su habitación con la rana le resultaba tan desagradable a la princesa que se echó a llorar. El rey dijo:

—Llévala a tu cuarto. No debes despreciar a quien te prestó ayuda cuando lo necesitabas.

La princesa tuvo que obedecer: recogió a la rana con dos dedos. Al llegar a su habitación, la puso en un rincón. En cuanto la niña estuvo acostada, la rana saltó hasta ella.

—Yo también estoy cansada. Súbeme contigo, por favor.

De mala gana, no tuvo más remedio que subir a la rana y acomodarla entre las mullidas almohadas y las sábanas de seda.

Cuando la niña se metió en la cama, comprobó sorprendida que la rana lloraba en silencio.

—¿Qué te pasa ahora?

—Yo sólo quería que fueras mi amiga. Pero es natural que tú no quieras saber nada de mí. Creo que lo mejor será que regrese al pozo.

Estas palabras ablandaron el corazón de la princesa.

—No llores. Seré tu amiga —le dijo en un tono dulce.

Para demostrar su sinceridad, la princesa le dio un beso de buenas noches.

De inmediato, la rana se convirtió en un apuesto príncipe. La princesa estaba tan sorprendida como complacida. Iniciaron entonces una hermosa amistad. Al cabo de unos años se casaron y fueron muy felices.

Refranes y proverbios

Más pronto cae un
hablador que un cojo.

(refrán mexicano)

Dos que se aman,
con el corazón se hablan.

(refrán español)

Amor con amor se paga.

(refrán español)

Trabalenguas

Teresa trajo tizas hechas trizas.
Papá, pon para Pepín pan.

Donde digo digo no digo digo,
sino que digo Diego.

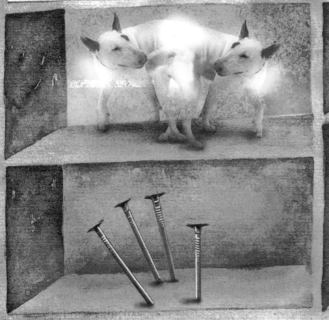

Pablito clavó un clavito,
¿qué clavito clavó Pablito?
Cabral clavó un clavo,
¿qué clavo clavó Cabral?

El gavilán le dijo a la garza:
"¿cómo estás, garza?".
Y al gavilán: "¿cómo estás?",
le preguntó la garza.

Había un perro
debajo de un carro,
vino otro perro
y le mordió el rabo.

El pingüino Hielito

Giulia Aldovini

Aguahelada es un risueño y frío lugar del Polo Sur. Allí vivía una pequeña comunidad de pingüinos y una todavía más pequeña familia feliz: papá Heladón, mamá Heladita y el hijo Hielito.

Su casa era parecida a una gruesa bola de nieve; era de hielo y con el mismo material estaban hechos la mesa, las sillas, los roperos y las mesitas de noche. A estas casas se les llama iglúes.

Los días en Aguahelada transcurrían serenos para todos los habitantes que, en aquel clima frío, se sentían perfectamente a sus anchas. Los más jóvenes se divertían patinando sobre los espejos helados o echándose clavados y retozando en los pequeños charcos de agua.

En el aire había siempre una música alegre conformada por risas y gritos festivos.

Hielito, sin embargo, era un pingüino diferente a los demás: tenía un aspecto delgado y estaba abrigado de la cabeza a los pies con ropa de lana, entre la cual se asomaban sólo los ojitos tristes y el pico anaranjado. Desde pequeño sufrió el frío y, cuando creció, ese

defecto aumentó tanto que prefería quedarse en casa todo el día, acurrucado en un rinconcito, tiritando. "¡Hielito temblorcito! ¡Hielito temblorcito!", le gritaban los demás pingüinos desde afuera del iglú, mientras las lágrimas en su cara se convertían en cubitos de hielo. Para colmo de males, su papá se quejaba:

—Es una vergüenza para un pingüino que se respete tener un hijo friolento. Somos el hazmerreír de todo el pueblo.

Mamá Heladita miró a su pequeño que dormía completamente cubierto por una montaña de cobijas, y movió la cabeza sonriendo con ternura.

—¡Ten paciencia, querido; un día también él llegará a ser un verdadero pingüino!

Pero Hielito no estaba dormido, y al escuchar las quejas de su padre sintió que se le congelaba el corazón.

Aquella misma noche, Hielito esperó a que la luna estuviera alta en el cielo y, cuando oyó que sus padres roncaban, guardó algunas provisiones en un costalito, se puso el gorro y la bufanda de lana y, de puntitas, se fue lejos de casa y de Aguahelada.

Después de caminar y caminar, cansado y con mucho frío, se durmió en un viejo bote; allí se escondió entre unas redes de pesca.

Esa misma madrugada, en un pueblo que no estaba lejos, Pepón el pescador se despidió de su familia. Haría un viaje muy largo para buscar fortuna, pues donde vivía no ganaba lo suficiente para alimentar a toda su familia.

Cuando Pepón quiso empujar el bote hacia el mar, se dio cuenta de que debajo de las redes había un huésped:

—¡Vete enseguida, ése no es lugar para un pingüino! —le dijo a Hielito.

El pingüino, asustado, le contó al pescador su historia y, al final, Pepón decidió llevárselo al viaje.

—Ya verás, Hielito. Iremos a un país en donde el sol es una pelota de fuego y la tierra es caliente y suave como una alfombra de lana. Y cuando regresemos, yo tendré más dinero para alimentar a mi familia y tú serás un verdadero pingüino.

¡Y así partieron los dos nuevos amigos en busca de aventuras!

Cucú

Anónimo

Cucú, cantaba la rana,
cucú, debajo del agua;
cucú, pasó un caballero,
cucú, vestido de negro;
cucú, pasó una gitana,
cucú, vestida de lana
y comiendo pan.
Le pedí un pedazo,
no me quiso dar;
la cogí del brazo
y la hice bailar.

Si el cucú te gusta
volveré a empezar.

El mago

David Chericián

Un mago con mucha magia
por una puerta salió
y su sombrero volando
por la puerta regresó:
regresó, cruzó las piernas
y en la mesa se sentó.

Del sombrero sale un gato,
del gato sale un avión,
del avión sale un pañuelo,
del pañuelo sale un sol,
del sol sale todo un río,
del río sale una flor,
de la flor sale una música
y de la música, yo.

Greguerías

Ramón Gómez de la Serna

Cuando en el árbol no queda más que una sola hoja, parece que le cuelga la etiqueta de su precio.

El libro es un pájaro con más de cien alas para volar

La avispa es el moscardón en traje de baño.

Nada más lleno de ausencia que un estadio vacío.

Las serpientes son las corbatas de los árboles.

Por qué tienen **manchas** los tigres

Esther Santos

Se cuenta que hace muchos años los animales hablaban.
Y fue en ese tiempo cuando un hermoso tigre vivía muy
contento en un bosque. Era considerado el príncipe de los
animales porque era muy fuerte y hermoso. Su piel era
toda amarilla como si el sol la iluminara todo el tiempo.

El tigre estaba tan orgulloso de su piel, que por nada
del mundo permitía que nadie más lo tocara, así evitaba
que le fuera a salir alguna mancha o raya.

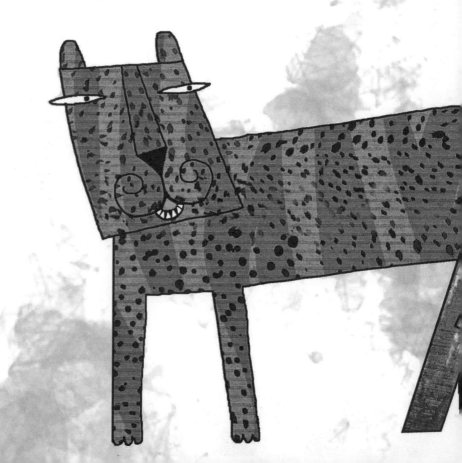

Como nunca había salido de ese bosque, un día pensó que era buena idea ir a ver qué había en el mundo. Cuando lo vieron salir del bosque, los animales se quedaron mudos de asombro al ver una criatura tan elegante.

El tigre, que iba muy orgulloso, levantaba la cabeza y sacudía la cola. Así llegó a un pueblo de gente pacífica que también lo contemplaba con admiración.

El tigre encontró en su camino a un hombre que pintaba una pared trepado en una escalera de mano, el cual le advirtió:

—Respetable señor tigre, no pase debajo de la escalera, no sea que ocurra alguna desgracia.

Pero el tigre no quiso escuchar la advertencia y, cuando pasó debajo de la escalera, al pintor se le cayó el bote de pintura negra, que al derramarse adornó de rayas negras el cuerpo del tigre. Y desde entonces es así como lo conocemos, además de un poquito malhumorado.

Consuelo

Pedro Calderón de la Barca

Cuentan de un sabio que un día
tan pobre y mísero estaba
que sólo se alimentaba
de hierbas que él recogía.
—¿Habrá otro —para sí decía—
más pobre y triste que yo?
Y cuando el rostro volvió
halló la respuesta viendo
a otro sabio recogiendo
las hierbas que él arrojó.

La derrota del rey

Anónimo

Una vez el rey de un país hizo colgar un aviso:
"Al niño capaz de decirme una buena mentira
le daré un gran premio."

Al oír esto, los nobles y oficiales de la corte
le pidieron a sus hijos que fueran con el rey
a contarle una buena mentira. Muchos niños
lo intentaron, pero ninguno pudo engañarlo.

Al final se apareció un muchacho pobre.

—Y tú, ¿a qué viniste? —le preguntó el rey.

—Mi padre me mandó a que cobrara una
deuda que Su Majestad tiene con él.

—Con tu padre no hay ninguna deuda,
tú mientes —contestó el rey.

—Si realmente he mentido, si le he dicho
algo que falte a la verdad, entrégueme
entonces el premio.

El rey se dio cuenta de la trampa que
el niño le había puesto y repuso de inmediato:

—Me parece que todavía no has dicho
ninguna mentira.

—Si yo no he mentido, entonces pague su
deuda —acometió el muchacho.

Al rey no le quedó más remedio que
mandarlo de regreso a su casa con grandes
cantidades de frutas y oro, que era lo que el
niño dijo que le debía a su padre.

Mamá Gallina y el
Pollo Feroz

Bénédicte Guettier

Había una vez una gallina que vivía en el campo.

Tenía cinco hijos a quienes cuidaba todo el día.

Eso la cansaba mucho, pero no le importaba, pues era una gallina muy feliz.

Su hijo más pequeño era un cocodrilo.

Ella lo quería como a sus propios pollos.

Él, a cambio, se portaba muy bien.

La única sombra en la vida de Mamá Gallina era un terrible dolor de muelas.

Mamá Gallina no podía ir al dentista de la ciudad.

Sus hijos eran muy pequeños y no quería dejarlos solos.

Así que decidió llevarlos con ella al dentista.

Esperaron emocionados en la parada 14 y tomaron un autobús por primera vez.

En la sala de espera, el ruido del dentista asustó a los pequeños.

Por suerte, Mamá Gallina los tranquilizó y los hizo sentir mejor.

El dentista los examinó uno por uno, pero no encontró nada.

La pobre gallina estaba tan cansada, que simplemente había olvidado que no tenía muelas.

El pequeño cocodrilo era el único que tenía caries.

Le encantaba comer dulces.

El dentista le curó las caries.

Cuando terminó, le dio un hermoso cepillo y una pasta de dientes.

Luego, el dentista llevó al pequeño cocodrilo a su oficina.

Ahí le explicó que un cocodrilo no come dulces, sino carne.

—¿Qué tipo de carne? —preguntó el pequeño cocodrilo.

—Mmm… ¡Un buen pollo, por ejemplo! —respondió el dentista, que estaba muy distraído, o tal vez pensaba que Mamá Gallina no había sido muy buena cliente.

Pero el pequeño cocodrilo no era un ingrato y quería mucho a su mamá.

Así que prefirió comerse al dentista.

Después regresó a casa con su familia y su hermoso cepillo de dientes.

Conejitos de colores

Anónimo

Como ya se sabe, las mamás conejas tienen siempre muchos hijitos, y la de este cuento también. Eran doce y todos eran blancos, juguetones y traviesos. Saltaban de acá para allá por el campo sin cansarse nunca de sus juegos.

Sucedió que un día el campo también se puso blanco. ¡Era nieve! Los conejitos salieron muy divertidos de su madriguera para disfrutar del cambio de clima.

A la hora de llamarlos a comer, mamá coneja fue a buscarlos, pero ¡oh, sorpresa! No podía encontrarlos porque eran tan blancos que se confundían con la nieve.

Con mucho trabajo los halló, los llevó de vuelta al hogar y, en el camino, se detuvo a comprar pinturas. Una vez en casa, se dedicó a pintar a sus conejitos de colores: unos eran azules, otros verdes, algunos rojos y también amarillos. De esa manera ya podría encontrarlos fácilmente entre la nieve.

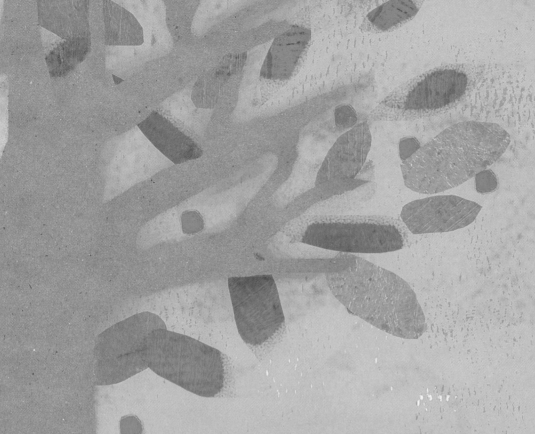

Las cosas iban muy bien hasta que un día, al mirar los prados y el campo, de nuevo mamá coneja no pudo encontrar a sus conejitos. ¡La primavera había llegado con sus maravillosos colores!

Volvió a llamar a sus hijitos y uno a uno los lavó en una tina con mucha agua y jabón. Así volvieron a su color original: el blanco. Y muy contenta se quedó mamá coneja, pues ya podía verlos saltando entre las flores del campo.

Pero un día, después de algún tiempo... ¡volvió a nevar! Y esta historia volvió a empezar...

Los frijoles
mágicos

Hermanos Grimm

Josefito vivía con su madre, que era viuda, en una cabaña del bosque. Apenas tenían para vivir, pues eran muy pobres. Un día, la madre de Josefito decidió enviarlo a la ciudad para que allí intentara vender la única vaca que poseían.

El niño amarró un lazo en el cuello del animal y luego se puso en camino. No había andado mucho cuando se encontró con un hombre que lo detuvo. Le mostró un saquito donde guardaba unos cuantos frijoles.

—Son milagrosos —explicó aquel hombre—. Si te gustan, te los doy a cambio de la vaca. Josefito no dudó, así que tomó el saquito y volvió muy contento a su casa. Pero su madre, cuando vio lo que había hecho, se puso muy enojada.

—Ay, Josefito, ¿ahora qué vamos a hacer? —dijo, y tiró por la ventana el saquito de frijoles. Luego se echó a llorar muy desconsolada.

Al día siguiente, cuando Josefito se despertó, fue grande su sorpresa al ver a través de la ventana que los frijoles habían germinado y crecido durante la noche. Había un tronco gigantesco con ramas que subían y subían hasta el cielo y no se veía hasta dónde llegaban.

Josefito quiso saber hasta dónde podía llegar semejante planta, así que comenzó a trepar, y subió y subió y no veía más que ramas y más ramas. Subió más y al fin llegó a un lugar maravilloso donde los árboles eran enormes, al igual que sus frutos: las manzanas tenían el tamaño de un caballo; las ciruelas, de un perro, y las uvas, de un gato.

En esas estaba Josefito cuando descubrió un gran castillo. Se asomó por la ventana y vio a un gigante que tenía una gallina a la que le ordenaba poner, cada que se le ocurría, un huevo de oro.

El niño entró, se escondió detrás de unas cortinas y esperó a que el gigante se durmiera. Cuando esto sucedió, apresó a la gallina y escapó con ella. Corrió hacia las ramas de los frijoles y se descolgó rápidamente hasta tocar el suelo y entrar en su casa.

Su madre se puso contentísima cuando el niño le mostró la milagrosa gallina de los huevos de oro. Aprovechaban cada huevo, que vendían para comprar alimentos, y así vivieron tranquilos por mucho tiempo, hasta que un mal día la gallina se murió y Josefito tuvo que trepar por la planta otra vez hacia el castillo del gigante.

Volvió a esconderse y pudo observar cómo el dueño del castillo, el gigante malvado, contaba muchas monedas de oro que sacaba de un costal de cuero.

En cuanto se durmió el gigante, Josefito dejó su escondite y, de puntitas para no despertarlo, se acercó al costal, lo echó sobre su espalda y salió del castillo. Una vez afuera corrió tan rápido como pudo hacia la planta gigantesca y bajó a su casa. Así él y su madre tuvieron dinero para ir viviendo mucho tiempo.

Sin embargo, como todo tiene un fin, así un día el costal de cuero se quedó completamente vacío.

Josefito trepó por tercera vez a las ramas de la planta, y fue escalando hasta llegar a la cima. Entró al gran castillo y, escondido tras las cortinas, espió al ogro durante horas, hasta que lo vio guardar en un cajón una cajita que, cada vez que levantaba la tapa, dejaba caer una moneda de oro.

Cuando el gigante salió del castillo, el niño tomó la cajita prodigiosa y se la guardó. Ya iba a salir cuando vio que el gigante regresaba, así que volvió a su escondite. Entonces el gigante se acostó en un sofá, mientras, ¡oh, maravilla!, un arpa mágica tocaba sola, sin que ninguna mano acariciara sus cuerdas.

A Josefito le encantaba esa música. Mientras tanto, el gigante, al escuchar la melodía, se fue quedando dormido.

Cuando oyó los primeros ronquidos del ogro, Josefito agarró el arpa y echó a correr. Pero el arpa estaba encantada y empezó a gritar:

—¡Despierta, amo, que me roban!

El gigante se despertó sobresaltado y siguió escuchando a lo lejos los gritos acusadores:

—¡Date prisa, amo, que me roban!

Al darse cuenta de lo que ocurría, el gigante salió en persecución de Josefito, que ya había tirado en el camino el arpa gritona.

—¡Con que tú eres el que me ha robado! ¡Pues te comeré en cuanto te alcance! —gritaba el malvado ogro al niño.

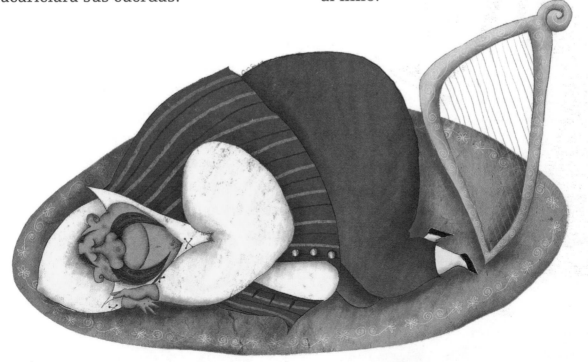

Con los pasos del gigante retumbaba el suelo, los árboles saltaban de sus lugares y el niño corría tan rápido como sus piernas se lo permitían. Al fin llegó hasta las ramas de los frijoles y comenzó a descender, pero para su sorpresa el gigante también empezó a bajar.

No había tiempo que perder, así que Josefito le gritó a su madre, que estaba en la cabaña preparando la comida:

—Madre, prepara el hacha en seguida, ¡me persigue el gigante!

La madre, muy asustada, se armó de valor y tomó el hacha. Así esperó a que su hijo bajara. En cuanto Josefito pisó el suelo, de un certero golpe cortó el tronco de los frijoles mágicos.

Al caer el tronco de los frijoles mágicos, el malvado gigante también se estrelló contra el suelo.

Josefito y su madre vivieron felices con aquella mágica cajita que, al abrirse, dejaba caer una moneda de oro.

Trabalenguas

Camarón, caramelo,
camarón, caramelo,
camarón, caramelo...

Pepe puso un peso en el piso del pozo.
En el piso del pozo Pepe puso un peso.

Pancha plancha con cuatro planchas.
¿Con cuántas planchas plancha Pancha?

Un carro cargado de rocas
iba por la carretera haciendo
carric, carrac, carric, carrac.

Si la col tuviera cara como cara
tiene el caracol, fuera col o fuera
cara como caracol con cara.

Los ratones que comían hierro

Alfonso X

Un buen día un comerciante que tenía necesidad de salir de viaje le dejó cien barras de hierro a un amigo suyo para que se las cuidara hasta su vuelta.

Pero el amigo, en vez de guardarlas, las vendió. Así, cuando el mercader estuvo de regreso, le pidió que le regresara lo que le había encargado.

—Lo siento, pero no queda nada. Puse las barras de hierro en un rincón de mi casa, pero por la noche vinieron los ratones y se las comieron.

El comerciante no tardó nada en comprender la verdad. Sin embargo, aparentó no darse cuenta del engaño y contestó con resignación:

—Ya había oído decir que lo que más les gusta comer a los ratones es hierro, así que no me extraña lo sucedido. Tú no has tenido la culpa, los ratones se lo han comido. ¡Qué le vamos a hacer!

Y sin añadir más palabras se despidió.

El amigo comprendió la lección y al fin confesó:

—Los ratones no se comieron tu hierro, yo me lo comí.

—Pues yo me llevé a tu hijo —contestó el comerciante.

—Regrésame a mi hijo que yo te devolveré tus barras de hierro.

—De acuerdo.

Y así fue como le entregó el hijo a su amigo, y éste le devolvió su hierro.

El amigo se quedó muy satisfecho por la facilidad con que lo había engañado.

Al día siguiente el comerciante fue por el hijo de su amigo y lo escondió en su casa. El amigo, desesperado por no encontrar a su pequeño, le preguntó:

—¿No has visto a mi hijo? Ha desaparecido.

—Bueno… Hace un rato vi que un zopilote se llevaba a un niño entre sus garras. Quizás ése haya sido tu hijo.

El amigo, al oír semejante disparate, se echó a reír.

—¿Cómo crees que un zopilote va a poder cargar a un niño?

El comerciante respondió:

—No sé por qué te extraña que los zopilotes cacen niños y se los lleven entre sus garras en una tierra en la que los ratones comen hierro.

Cinco calabacitas

Anónimo

Cinco calabacitas sentadas en un portón.
La primera dijo (apuntar con el dedo meñique):
    —Se está haciendo tarde.
La segunda dijo (apuntar con el dedo anular):
    —Hay brujas en el aire.
La tercera dijo (apuntar con el dedo medio):
    —No le hace.

La cuarta dijo (apuntar con el dedo índice):
    —Es una noche de espanto.
La quinta dijo (apuntar con el pulgar):
    —Corramos, corramos.

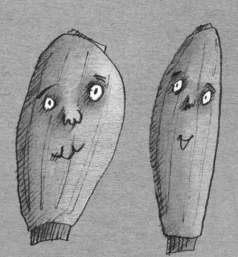

U-u-u-u-u-u hizo el viento.
Y se apagaron las luces (aplaudir).
Las cinco calabacitas corrieron
a esconderse (correr los dedos detrás
de la espalda).

Ronda de las disparejas

David Chericián

el ave

la haba

Parejas, parejas,
que no son parejas:

El como y la coma,
el cuento y la cuenta,
el trompo y la trompa,
el medio y la media,
el palo y la pala,
el cepo y la cepa,
el rato y la rata,
el peso y la pesa,
el ojo y la hoja,
el ceño y la seña,
el bote y la bota,
el ruedo y la rueda,
el gamo y la gama,
el seno y la cena,
el palmo y la palma,
el cierre y la sierra,
el limo y la lima,
el verso y la berza,

el libro y la libra,
el puerto y la puerta,
el poste y la posta,
el penco y la penca,
el costo y la costa,
el cuenco y la cuenca,
el paso y la pasa,
el cerdo y la cerda,
el caso y la casa,
el cuerdo y la cuerda,
el tumbo y la tumba,
el velo y la vela,
el rumbo y la rumba,
el suelo y la suela,
el bate y la bata,
el cero y la cera,
el plato y la plata,
el pero y la pera.

¡Parejas, parejas,
que no son parejas!

Llaves para leer
con nuestros hijos

¿Qué encontrarás en *Llaves para leer con nuestros hijos*?

En esta *Guía* te ofrecemos orientaciones sobre el modo de leer con tu hijo, los lugares y los momentos adecuados, los materiales que puedes utilizar y sobre las actividades y el tipo de conversación que lo llevarán a disfrutar la lectura y a desear aprender.

También encontrarás pautas para leer en voz alta con tus hijos, un recurso sencillo y muy eficaz para convocarlos alrededor de las palabras y la conversación.

La lectura es una forma de comunicarnos, entender el mundo que nos rodea y aprender de nosotros mismos. A través de ella compartimos lo que otras personas vivieron o imaginaron, sus ideas y puntos de vista, su forma de confrontar las dificultades, de relacionarse con los otros. Al leer, nuestra sensibilidad aflora, nos emocionamos, pero también comprendemos cómo funcionan las cosas, descubrimos otra manera de ver la realidad que nos da la posibilidad de construir un mundo personal distinto.

Sin embargo, no empezamos a leer sólo cuando somos capaces de descifrar las palabras escritas en un texto. El aprendizaje de la lectura empieza desde antes de nacer, cuando los bebés escuchan la voz de sus padres y sienten su cuerpo. (…) La voz, la musicalidad del lenguaje —ritmo y entonación—, el rostro y el cuerpo de sus padres son el primer *libro* de los niños.

Poco a poco los niños descubren que las palabras son efectivas para comunicarse y disfrutan la narración de historias y la lectura de los primeros libros. Si continuamos leyendo con ellos, su lenguaje será cada vez más rico; no sólo conocerán más palabras y sabrán cómo usarlas al hablar, sino que, cuando lleguen a la escuela para iniciar el aprendizaje formal de la lectura y la escritura, éste les será más fácil, porque ya han recorrido un largo camino de preparación: así como decimos las palabras, porque antes las hemos escuchado, podemos escribirlas porque ya conocemos su significado.

Las investigaciones comprueban que entre el nacimiento y los siete años se dan cambios significativos en la mente y las emociones de los niños, porque son la base del desarrollo de su inteligencia y de su integración con otras personas. La lectura en familia apoya estos cambios, sobre todo porque da la oportunidad de conversar sobre historias de otros lugares, acerca de situaciones que no son frecuentes en nuestra vida diaria y de personajes que pueden ser como nosotros o muy diferentes; así podemos ampliar y compartir nuestro conocimiento y experiencia.

Pero lo más importante de todo es que al leer con nuestros hijos nos acercamos a ellos y ellos a nosotros y, a medida que fortalecemos ese vínculo, recibimos un doble beneficio: leemos porque nos gusta estar juntos y relacionamos la lectura con esos momentos de placer. Una vivencia que perdurará a lo largo de nuestra vida.

La antología *Cuéntame. Lecturas para todos los días* busca hacer de los niños buenos lectores. Con este libro se invita a los padres, y a otros miembros de la familia, a compartir estas lecturas con los pequeños…

¿Qué hacer para que nuestros hijos sean lectores?

Aunque no hay fórmulas para lograr que el amor por la lectura y la pasión por el conocimiento nos atrapen desde los primeros años, sí hay algunas estrategias que los padres podemos seguir para que nuestros hijos se vuelvan lectores. La lectura en voz alta y la conversación son las más importantes y van de la mano: antes de leer, durante y después de la lectura comentamos lo que ocurre en la historia y las ilustraciones del libro, respondemos las preguntas de los niños y planteamos otras.

Es conveniente que nuestros hijos vean que su familia lee. Y si en nuestra familia no hay papá, podemos invitar al abuelo, los tíos o los amigos a leer con nuestros hijos varones, quienes con frecuencia asocian la lectura con el mundo de las mujeres, porque, finalmente, son mujeres las que suelen leerles: las maestras, las bibliotecarias, las mamás.

Leamos en voz alta

A los niños de cualquier edad les gusta escuchar historias leídas en voz alta. Conforme les leemos van descubriendo el modo en que unas palabras se unen con otras y su significado, disfrutan esperar para ver qué ocurrirá en una historia, desarrollan la capacidad para concentrarse y relajarse. También descubren el gusto por encontrar en los libros los temas que les interesan, contados de otra manera y, lo más importante, aprenden que leer es divertido. La lectura en voz alta siembra en nuestros hijos el deseo de volver a lo que han escuchado, de tener en sus manos el libro para intentar leerlo por su cuenta y, a medida que crecen, de buscar otros libros semejantes y de ser lectores autónomos.

¿Cómo leer en voz alta con tu hijo?

1. El lugar y el momento cuentan
   - Escoge un lugar cómodo, con buena luz, lejos de la televisión y de ruidos que puedan distraerlos.
   - Busca un buen momento en el que puedas leer sin prisa ni cansancio: recuerda que así tus hijos y tú se regalan tiempo y cariño.
   - Durante el día elige momentos en los que tu hijo esté *libre*: no lo saques de un juego o de un programa de televisión que lo divierte para invitarlo a leer. En vez de eso, proponle la lectura como otra actividad en la que puede participar y pasarlo bien.
   - A medida que vaya creciendo amplía el tiempo de la lectura. Si él quiere prolongar esos momentos, atiende su deseo. El maestro te indicará las lecturas de la semana, pero padres e hijos decidan el ritmo de la lectura y el tiempo destinado a ésta.
   - En la noche, al ir a la cama, lee para él. Así establecerás un rito, la costumbre de pasar de la actividad intensa del día a la calma anterior al sueño.
   - Lo ideal es llegar a leer con él por lo menos durante 15 minutos al día.
   - Si tienes más de un hijo, lo recomendable es leer a cada uno por separado para fortalecer la intimidad y el afecto entre ustedes, pero también para desarrollar su atención y prepararlos para compartir lecturas con sus hermanos. Haz esto siempre que puedas; cuando no sea posible, comparte con ellos lecturas tanto de los más grandes como de los más chiquitos.
   - Busca una posición cómoda para los dos: sienta a tu pequeño en tu regazo o acurrúcate junto a él. El abrazo y el contacto físico también forman parte de lo especial que puede ser la lectura compartida.

 Cuando nos dedicamos a leer en voz alta a los niños, establecemos un vínculo muy estrecho con ellos en una sociedad secreta relacionada con los libros que hemos compartido... No se consigue con el libro solo ni tampoco con el adulto solo, sino mediante la relación que se establece entre los tres y que los une en una suave armonía.[1]

2. Tu voz y tus gestos también cuentan

- Si puedes, lee el libro antes. Es esencial que te guste y que identifiques la entonación y el ritmo que hay en él para que puedas transmitirlo cuando leas para tu hijo.
- Antes de empezar a leer, dile al niño el título de la lectura y el nombre del autor, no importa si ya le has leído ese texto antes. Así comprenderá que tenemos libros porque hay personas que los elaboran.
- Lee con expresividad. No necesitas ser un experto, sino encontrar el tono adecuado para pronunciar las palabras y dar vida a los personajes. Cada quien encuentra su propia manera de expresarse de tal modo que mantenga la atención de su oyente.
- Ajusta el ritmo de tu lectura a la historia: lee en voz alta o baja, rápida o lenta, suave o fuerte, según lo que el libro esté contando. Estas variaciones de tu voz son como música y a los niños les encantan. La idea es trasmitir las emociones de las que el libro habla.
- Lee despacio, de modo que tu hijo disfrute al mismo tiempo las palabras y las ilustraciones.
- Haz diferentes voces para encarnar a los personajes.
- Jamás leas en un tono infantil o demasiado teatral, puede aburrir a tu hijo.
- Mantén el contacto visual con el niño. Con tu rostro y tus ojos puedes mostrar asombro, miedo, alegría, etcétera.
- Conserva el entusiasmo mientras lees, así ya hayas leído el libro muchas veces. Puedes aumentar tu expresividad moviendo las manos y el cuerpo.
- Sigue las palabras con el dedo índice mientras lees: tu hijo reforzará el aprendizaje de que las palabras se leen de izquierda a derecha en cada página y que los textos están escritos de arriba hacia abajo.
- Pídele al niño que te ayude a pasar las páginas.

---

1. Mem Fox, (2003). *Leer como por arte de magia.* Barcelona: Paidós, p. 23.

- Cuando elijan un cuento largo, léelo hasta el final. Puedes hacerlo en varias sesiones o días, acabando cada una en un pasaje de mucho suspenso para que tu hijo se quede con la expectativa sobre qué pasará y desee volver al libro. Procura que las sesiones sean continuas.
- Sigue leyendo en voz alta, aunque tu hijo ya pueda leer por su cuenta.

3. Invítalo a leer
- Escucha a tu hijo con atención y paciencia cuando te lea. Felicítalo por su esfuerzo y muéstrale que te enorgullece.
- Léele en voz alta e invítalo a que te lea, tú puedes leer una página y él otra, quizá donde encuentres textos más breves (como las rimas o los poemas).
- Tu hijo está aprendiendo a leer: anímalo para que lea para ti; primero algunos renglones, luego párrafos y, más adelante, páginas completas de este libro que comparten.
- Evita regañarlo porque no lee de corrido y no le digas si está leyendo bien o mal. Tampoco le pidas que relea una palabra que no ha pronunciado bien. En vez de eso, muestra interés por su lectura y relee tú la parte donde él se equivocó, sin decirle que se ha equivocado.
- Evita presionarlo para que lea rápido o vocalizando bien. No le preguntes sobre ideas principales y secundarias. Recuerda que todo lo que haces en casa alrededor de la lectura y la escritura fortalece el aprendizaje de tu hijo; sin embargo, no lo hagas en función de las tareas escolares, sino de la complicidad que buscas lograr con él al compartir el placer de leer y escribir. Así disminuirás la presión que posiblemente siente frente al aprendizaje de la lectura y la escritura.
- Él irá aprendiendo de ti la forma correcta de leer en voz alta, mientras comparten un momento grato para ambos.
- Complementa la información de los documentales que le interesaron en la televisión, investigando con él en otros libros. Entenderá que éstos amplían los temas y que puede volver a ellos cada vez que lo requiera.
- Invítalo a conversar sobre los libros que ya lee por su cuenta. Demuéstrale tu curiosidad con preguntas que lo lleven a explicar y compartir sus ideas, emociones, gustos.
- Pídele que te cuente historias y escríbelas.
- Escríbele cartas en momentos especiales, así como mensajes para recordarle asuntos pendientes; por ejemplo: "Esta noche papá y yo vamos al cine, recuerda lavarte los dientes y dejar preparada tu ropa y mochila. Te quiero, mamá". De este modo, irá comprendiendo el propósito de la escritura.

- Invítalo a escribir mensajes para resolver situaciones cotidianas: haz con él la lista del mercado, las tarjetas de cumpleaños, notas para los hermanos mayores o para recordar cosas por hacer. Es posible que su ortografía no sea correcta, él escribe las palabras como las oye; no le des importancia a esto, más bien, tan pronto puedas muéstrale la ortografía apropiada sin regañarlo.
- Cuéntale historias de tu niñez o de cuando sus abuelitos eran niños e invítalo a escribirlas y formar con ellas libros que enriquezcan su biblioteca o sirvan para regalar en fiestas familiares.
- Procura que el niño disfrute todas las actividades alrededor de la escritura.
- Recuerda que en esta antología te presentamos textos de diversa índole: cuentos, leyendas, rimas, canciones, etc. Pídele que te diga qué le gusta más, pues de esta forma sabrás qué le interesa.

Hablemos con ellos, la conversación estimula la lectura

Leer un libro despierta en nosotros miedos, deseos, preguntas, certezas. Apoya a tu hijo para que exprese las sensaciones, sentimientos e ideas que surgen en él al leer. Puedes detenerte en un momento de la lectura, por ejemplo, y decir en voz alta lo que tú experimentas. Esto le servirá de modelo para hacer lo mismo.

Hacerse preguntas y reflexionar sobre lo que encontramos en los libros permite comprender qué significa lo que leemos y organizar la información en nuestra mente. Comprender es resolver todas las incertidumbres.

Cuando los libros forman parte de la vida de una familia, algunos de sus personajes llegan a ser parte de la cotidianidad, como si fueran otros miembros de la familia con los que podemos compararnos. La referencia a estos personajes crea complicidades y hace más fluidas las relaciones porque les da un toque de humor.

¿Cómo conversar con tu hijo?

1. Habla con él siempre
    - Conversa con tu hijo durante las actividades diarias: al bañarlo, en la comida, al salir de paseo, en la sala de espera del doctor, cuando van al mercado.
    - Acompáñalo a ver en la televisión sus programas favoritos y coméntalos con él.
    - Fija un tiempo y un lugar en los que hablar sobre la vida y los intereses de tu hijo sea lo más importante. Siempre que platiques con él, anímalo a continuar la conversación con preguntas y comentarios, escúchalo con paciencia y proponle otras palabras cuando sea necesario.

- Muéstrale las ilustraciones de este libro y háblale sobre ellas: "Mira, cuando la crisálida se rompe, ya no hay gusano, sino una mariposa". "¡Uy!, ¡ahora sí se puso furioso el dragón!".
- Relaciona los personajes o eventos con los de otros cuentos.
- Invítalo a narrarte una historia a partir de las ilustraciones de este libro.
- Dale tiempo para conversar sobre lo leído, una vez que concluya la lectura. Permite que el niño exprese lo que sintió y pensó mientras le leías.

 A veces, como adultos consideramos la conversación como un lujo en nuestras vidas ocupadas. Pero para un pequeño cuya mente se está esforzando por aprender a leer y escribir, la conversación es esencial, y cuanto más significativa y sustantiva mejor. Establezca un tiempo y espacio cotidiano para la conversación entre adultos y niños, en el que hablar sobre la vida de los niños sea el interés central.[2]

2. Invítalo a preguntar y pregúntale
- Dentro de las conversaciones las preguntas cumplen una función muy importante; permiten aprovechar la curiosidad natural de los niños para desarrollar su aprendizaje. Invítalo a preguntar antes de empezar a leer, durante la lectura y al terminarla.
- Preguntar durante la lectura te permite saber qué tanto está comprendiendo tu hijo. Pero debes tener cuidado: si interrumpes lo que lees con mucha frecuencia, podrías distraer su atención y quizás fastidiarlo. A veces puedes leer sin preguntar, pero atendiendo a sus comentarios. Las preguntas enriquecen las discusiones que surgen después de leer un libro. Gracias a ellas los niños aprenden a reflexionar sobre lo que leen y a distinguir qué es lo importante.

¿Qué puedes preguntar y cómo?

- Antes de empezar a leer alguno de los textos de *Cuéntame*, pregúntale a tu hijo sobre el título y las ilustraciones para que te diga qué cree que pasará o sobre qué tratará.

2. Burns, M. Susan; Griffin, Peg y Snow, Catherine E. (Eds.) (2000). *Un buen comienzo. Guía para promover la lectura en la infancia*. National Research Council-SEP-FCE Biblioteca para la Actualización de Maestros, p. 29.

- Durante la lectura plantea preguntas que anticipen qué sucederá después. Por ejemplo, si es una historia, de qué manera se comportará un personaje o cómo terminaría una rima que estés leyendo.
- Formula preguntas que permitan al niño responder con algo más que un "sí" o un "no"; para ello es útil usar interrogantes como ¿qué?, ¿por qué?, ¿cómo?, ¿qué pasaría si...?
- Haz preguntas sobre las ilustraciones para que el niño pueda relacionar la imagen con el texto; así verá cómo la ilustración confirma algo que dicen las palabras o muestra detalles no mencionados.
- Después de terminar la lectura, pídele a tu hijo su opinión sobre ella: ¿cómo te pareció? ¿te gustó?, ¿por qué? Poco a poco el niño aprenderá a expresar sus gustos e ideas, al explicar por qué piensa o siente de cierta manera.
- Si releen una historia, plantéale preguntas que lo lleven a inferir nuevas situaciones: "En la historia de *¡Tiemblen, dragones!*, ¿por qué crees que Elizabeth vence al dragón, a pesar de ser mucho más débil que él?".
- Cuando el niño te responda, repite sus ideas y amplíalas. De esta manera irá descubriendo cómo se organizan las frases para explicar qué quiere expresar, incorporará nuevas palabras a su vocabulario y, lo más importante, comprenderá que sus ideas tienen eco y se complementan con lo que tú sabes.

Escucha y responde sus preguntas

- Responde a los comentarios y observaciones que el niño hace sobre los libros y presta la atención necesaria para contestar sus preguntas a lo largo de la lectura.
- Cuando el niño te pregunte algo que tú no sepas, busca con él la respuesta en un libro, un diccionario, una revista o internet; así él empezará a reconocer que las respuestas a sus preguntas se encuentran en diversos medios. Si no tienes estos recursos, acude a las bibliotecas públicas donde están disponibles. También puedes preguntar a otro miembro de la familia que esté presente si conoce la respuesta; así puede comenzar una conversación enriquecedora para todos, no sólo para el niño.
- Define el tipo de preguntas que hace tu hijo; puede preguntar para saber más o aclarar una idea, pero también para que no cierres el libro todavía y lo acompañes un poco más. Si se trata de lo primero, respóndele sin importar cuánto te demores. Si es lo segundo, sé paciente, contéstale con brevedad y continúa la rutina del momento: por ejemplo, si se acerca la hora de dormir, invítalo a acostarse y releer o continuar el libro al día siguiente.

 Cuando leemos con nuestros hijos se conjugan tres momentos importantes: leemos en voz alta para ellos, los invitamos a que lean para nosotros y conversamos sobre lo que estamos leyendo. Así, fortalecemos nuestra relación con ellos.

¿Cómo leer con nuestros hijos?

1. **Lee con tus hijos** antes de que aprendan a descifrar el alfabeto y sigue haciéndolo cuando ya sean lectores experimentados.

2. **Establece la rutina de leer** juntos por lo menos 15 minutos todos los días y por puro placer.

3. **Lee libros que los dos disfruten y no impongas tu criterio. Respeta las elecciones de tus hijos.**

4. **Lee en casa lo que te gusta.** Tus hijos te observan y te imitan: si tú disfrutas leyendo, ellos también lo harán.

5. **Además de esta antología, lleva a casa diversos materiales de lectura:** libros informativos y de literatura, revistas, folletos y periódicos, siempre que puedas, pues son muy necesarios. También puedes acudir a la biblioteca más cercana.

6. **Anima a tus hijos a construir su biblioteca.** Elige con ellos el rincón de su habitación y el estante, caja, canasta o mueble en que puedan organizar sus lecturas preferidas: así las tendrán a mano siempre. Que este libro sea, además, un gran tesoro que recuerden toda su vida y al que puedan recurrir cuando deseen.

7. **Visita las librerías y las bibliotecas públicas con tus hijos:** allí conocerán a otras personas que aman los libros y pueden recomendarles nuevas lecturas.

8. **Recurre a la lectura siempre que puedas:** lee con los niños las recetas que preparan juntos, los anuncios en la calle, los empaques de los alimentos que consumen, las instrucciones para armar juguetes o electrodomésticos, las guías de turismo, la cartelera del cine.

9. **Y, sobre todo, sé paciente y cariñoso.**

Todo esto ayudará a que tus niños valoren la importancia de leer.

Niños desde los cinco años

Son grandes conversadores pero prefieren hablar de lo que desean y escoger el momento para hacerlo. Al final del día, comentan qué les ha sucedido en la jornada y qué harán al día siguiente o el fin de semana.

En esta etapa los niños quieren conocer lugares lejanos. Se interesan por personajes y situaciones imaginarias, pero también por las historias familiares que les permiten comprender su vida cotidiana. Fantasía y realidad están muy cercanas.

Experimentan temores ante situaciones difíciles e inesperadas (el secuestro, los accidentes) y lo sobrenatural (fantasmas, brujas, hombres lobo, duendes). Otros temas que les causan inquietud son la concepción y el nacimiento de los niños.

Aprender a leer y escribir en la escuela los tensiona, pues desean hacerlo pronto y bien. Aunque ya descifran el alfabeto y se arriesgan a leer por su cuenta, todavía disfrutan que alguien más les lea. Ya comprenden la estructura de las narraciones: saben que cada historia tiene un comienzo, una aventura inquietante o asombrosa y un final que puede ser feliz o triste.

¿Qué libros prefieren?

En esta etapa los niños ya han comenzado a desarrollar su criterio como lectores: ya saben qué les gusta y qué no, e identifican las buenas historias.

Los libros ilustrados, aquellos que los retan a encontrar un personaje escondido, detalles importantes de una historia y a enumerar o a reconstruir una secuencia. Les encantan, igual que los cuentos populares y de hadas, las fábulas, las historias graciosas, absurdas, con finales inesperados.

Las coplas, adivinanzas y trabalenguas que recuerdan sus abuelos y sus padres son especialmente importantes para ellos. También les atraen las narraciones que les plantean momentos de la vida cotidiana y los libros donde se describe una profesión o un animal conocido.

¿Qué textos encontrarás en *Cuéntame*?

- Cuentos sobre los miedos, que los explican o los miran con humor. Narraciones que hablan de la familia, de la amistad, de la escuela.
- Fábulas y leyendas.
- Poesía.
- Canciones y juegos populares.
- Adivinanzas, refranes, trabalenguas.

Géneros literarios

Género	Descripción
Cuento	Narración breve de ficción.
Fábula	Breve relato ficticio, en prosa o verso, con intención didáctica frecuentemente manifestada en una moraleja final, y en el que pueden intervenir personas, animales y otros seres animados o inanimados.
Canción	Composición musical para ser interpretada con voz humana.
Refrán	Dicho agudo y sentencioso de uso común.
Rima	Composición en verso, del género lírico.
Poesía	Poema, composición en verso.
Canción popular	Composición en verso que se canta, o hecha a propósito para que se pueda poner en música.
Leyenda	Relación de sucesos que tienen más de tradicionales o maravillosos que de históricos o verdaderos.
Trabalenguas	Palabra o locución difícil de pronunciar, en especial cuando sirve de juego para hacer que alguien se equivoque.
Juego	Ejercicio recreativo sometido a reglas, en el cual se gana o se pierde.
Greguería	Texto breve que expresa de manera aguda pensamientos filosóficos, humorísticos, etcétera.

Bibliografía

- Aldovini, Giulia (2002). *Hielito, el pingüino* (Fragmento) (Trad. Giancarla Brignole). México: Ediciones Castillo.
- Almendros, Herminio (1982). *Había una vez...* Cuba: Gente Nueva.
- Andersen, Hans Christian. "La princesa y el frijol" (Adaptación de Francisco Hinojosa).
- Arecete, Julio C. (Comp.) (2001). *Proverbios, adagios y refranes del mundo*. España: Óptima.
- Baranda, María (2006). *Digo de noche un gato*. México: Ediciones El Naranjo.
- Calderón de la Barca, Pedro (1991). *Obras completas*. Madrid: Aguilar.
- Carrera, Eduardo (2007). *Universo de palabras*. México: Ediciones El Naranjo.
- Chericián, David (1994). *Urí urí urá*. México: Secretaría de Educación Pública.
- Esopo. *Fábulas* (Adaptación de Francisco Hinojosa).
- (1983). *Fábulas, cuentos y leyendas* (vol. 2). México: UTEHA.
- Fuertes, Gloria. "La gallinita" en http://www.tebytib.com/gest_web/proto_Seccion. pl?rfID=32&arefid=883
- García Lorca, Federico (1965). *Obras completas*. Madrid: Aguilar.
- Gómez de la Serna, Ramón. "Greguerías" en http://www.geocities.com/greguerias/
- Guillén, Nicolás (2002). *Por el mar de las Antillas anda un barco de papel*. Colombia: Panamericana Editorial.
- Hermanos Grimm. "El rey sapo", "Los frijoles mágicos" y "La reina de las abejas". (Adaptaciones de Francisco Hinojosa).
- Jackson, W. M. (1962). *El tesoro de la juventud*. México: Inc. Editores.
- (2001). *Las 253 fábulas más bellas del mundo*. México: Grupo Editorial Tomo.
- (2002). *Las mejores leyendas mitológicas* (Selección de José Repollés). España: Óptima.
- Munsch, Robert (2008). *¡Tiemblen, dragones!* México: Ediciones Castillo.
- Nervo, Amado (1962). *Obras completas*. México: Aguilar.
- Pacheco, José Emilio (1980). *Desde entonces*. México: Era.
- © Pellicer, Carlos. *Obras. Poesía*. 1981, México: Fondo de Cultura Económica.
- Pérez Gómez, Juan (Selección) (1920). *Tesoro infantil* (Libro I). México: Imprenta Franco-Mexicana.
- Perrault, Charles. "Caperucita Roja" y "Los siete cabritos" (Adaptaciones de Francisco Hinojosa).
- Quiroga, Horacio (1998). *Cuentos de la selva*. México: Editores Mexicanos Unidos.
- Valdivia, Benjamín (2003). *Circo poético. Antología de la poesía mexicana del siglo xx*. México: SM.

Índice Temático

	Mi Casa	Cuando los ratones se daban la gran vida	El castillo aéreo del brujo	Canción de cuna	La gallinita	Greguerías	Caperucita Roja	Soñar	Greguerías	La ranita verde y el pato	La princesa y el frijol	La perla del dragón	Vuelo de voces	Los tres cerditos	Refranes y proverbios	El lago	Se me ha perdido una niña	La orilla del agua	Nana del espejo	Adivinanzas	El gallo de las botas amarillas	Que te corta corta	Adivinanzas	Un negocio redondito	Las cinco vocales	Las bodas de la mariposa	La pata Dedé	Adivinanzas	Mariposa	Los siete cabritos y el lobo	Rimas de sol y sal	El pastor bromista	Greguerías	El roble y el leñador
TEMAS																																		
Amistad	★	★	★		★									★	★		★				★			★										★
Amor			★	★							★								★											★	★		★	
Animales	★	★		★	★	★	★	★	★	★		★	★	★	★	★		★	★		★	★		★	★	★	★	★	★	★		★	★	
Arte						★		★				★				★		★	★	★				★	★		★			★	★		★	
Crecimiento y maduración		★	★			★	★	★	★			★								★														
Discriminación																												★						
Discapacidad											★																							
Diversidad			★				★				★																							
Escuela					★								★							★														
Familia	★		★	★							★								★								★				★			
Miedo							★				★		★						★											★		★		
Pérdida											★						★	★																
VALORES																																		
Justicia		★	★				★										★				★											★		★
Respeto			★	★												★																★		★
Libertad		★					★	★			★	★				★																		
Responsabilidad																								★						★		★		★
Honestidad			★							★			★							★														
Solidaridad		★		★	★											★					★			★	★					★				★
Tolerancia													★						★								★							★
Gratitud				★	★						★						★	★									★							
Bondad	★		★								★	★									★													
Lealtad			★		★						★	★									★		★											
Fortaleza			★				★	★			★										★									★				
Generosidad			★								★					★					★			★	★									
Perseverancia	★	★	★			★	★				★	★		★			★										★							
Creatividad	★					★		★	★	★			★		★		★		★	★		★	★		★			★	★		★		★	
Cooperación		★	★								★	★												★		★				★		★		★
Integridad			★								★																							
Valentía		★	★				★	★			★		★				★				★						★			★				
GÉNEROS																																		
Cuento		★	★			★				★	★		★								★			★			★			★				
Fábula																																★		
Canción			★						★								★	★																
Refrán															★																			
Rimas																								★							★			
Poesía	★				★			★					★			★		★						★			★		★					
Leyenda																																		★
Trabalenguas																																		
Juego																				★				★					★					
Greguerías						★			★																								★	

TEMAS

	Los diez perritos	Las aventuras del caballero	Blancandino	Refranes y proverbios	Regalos	¡Tiemblen, dragones!	Refranes y proverbios	El día y la noche	Hay un hoyo en el fondo de la mar	El pájaro Cú y el tecolote	La gallinita colorada	La reina de las abejas	La tortuga gigante	El enemigo verdadero	El barco chiquito	Vamos a contar mentiras	La rana encantada	Refranes y proverbios	Trabalenguas	El pingüino Hielito	Cucú	El mago	Greguerías	Por qué tienen manchas los tigres	Consuelo	La derrota del rey	Mamá gallina y el pollo feroz	Conejitos de colores	Los frijoles mágicos	Trabalenguas	Los ratones que comían hierro	Cinco calabacitas	Ronda de las disparejas
Amistad									★				★				★			★							★				★		
Amor		★				★					★						★					★						★	★				
Animales	★						★		★	★	★	★	★					★	★					★	★		★	★			★	★	
Arte	★			★	★			★	★					★	★			★			★	★	★		★					★		★	★
Crecimiento y maduración														★																			
Discriminación																																	
Discapacidad																																	
Diversidad																																	
Escuela																																	
Familia																				★							★	★	★	★			
Miedo																																	
Pérdida						★																											

VALORES

	Los diez perritos	Las aventuras del caballero	Blancandino	Refranes y proverbios	Regalos	¡Tiemblen, dragones!	Refranes y proverbios	El día y la noche	Hay un hoyo en el fondo de la mar	El pájaro Cú y el tecolote	La gallinita colorada	La reina de las abejas	La tortuga gigante	El enemigo verdadero	El barco chiquito	Vamos a contar mentiras	La rana encantada	Refranes y proverbios	Trabalenguas	El pingüino Hielito	Cucú	El mago	Greguerías	Por qué tienen manchas los tigres	Consuelo	La derrota del rey	Mamá gallina y el pollo feroz	Conejitos de colores	Los frijoles mágicos	Trabalenguas	Los ratones que comían hierro	Cinco calabacitas	Ronda de las disparejas
Justicia		★																															
Respeto														★			★																
Libertad																																	
Responsabilidad													★											★		★							
Honestidad							★				★	★		★			★								★								
Solidaridad		★						★		★	★	★	★							★							★		★		★		
Tolerancia														★																			
Gratitud								★			★			★						★													
Bondad				★				★			★			★						★													
Lealtad		★												★																			
Fortaleza		★										★	★							★									★				
Generosidad		★								★	★		★																				
Perseverancia		★				★					★	★	★				★			★					★				★				
Creatividad	★			★	★			★	★							★	★			★	★		★	★	★			★		★	★	★	★
Cooperación		★								★			★							★					★				★				
Integridad											★	★					★																
Valentía		★				★					★	★	★							★									★				

GÉNEROS

	Los diez perritos	Las aventuras del caballero	Blancandino	Refranes y proverbios	Regalos	¡Tiemblen, dragones!	Refranes y proverbios	El día y la noche	Hay un hoyo en el fondo de la mar	El pájaro Cú y el tecolote	La gallinita colorada	La reina de las abejas	La tortuga gigante	El enemigo verdadero	El barco chiquito	Vamos a contar mentiras	La rana encantada	Refranes y proverbios	Trabalenguas	El pingüino Hielito	Cucú	El mago	Greguerías	Por qué tienen manchas los tigres	Consuelo	La derrota del rey	Mamá gallina y el pollo feroz	Conejitos de colores	Los frijoles mágicos	Trabalenguas	Los ratones que comían hierro	Cinco calabacitas	Ronda de las disparejas
Cuento		★			★				★		★	★	★				★			★	★				★		★	★	★	★		★	
Fábula																																	
Canción	★					★				★				★	★																		
Refrán				★														★															
Rimas					★																												
Poesía																							★			★							
Leyenda							★																										
Trabalenguas								★											★											★			
Juego																								★								★	★
Greguerías																								★									

Dirección editorial: Patricia López Zepeda

Coordinación editorial: Rodolfo Fonseca

Antologador: Francisco Hinojosa

Texto del anexo *Llaves para leer con nuestros hijos:*
Adaptación de *Leamos con nuestros hijos,* de Claudia Rodríguez
Rodríguez y María Cristina Rincón Rivera, Bogotá, 2005.

Coordinación de diseño: Renato Aranda

Diseño de portada e interiores: Erre con Erre Diseño

Ilustración de portada: Margarita Sada

Ilustraciones de interiores:
Margarita Sada (pp.1, 6-7, 11, 30, 44-45, 52-54, 58-59, 67),
Mauricio Gómez Morín (pp. 4, 28, 42-43, 56, 66, 72, 74-75 80-83, 96),
Juan Gedovius (pp. 8-10, 22-24, 32, 51, 68-71, 78-79, 84-88, 102),
Mónica Miranda (pp.12, 19, 39, 60-61, 104-105),
Ángel Campos (pp.13, 18, 57, 97, 103, 117),
Valeria Gallo (pp.14-16, 34-37, 46-49, 90, 98-100, 107, 112-116),
Julián Cicero (pp.17, 26-27, 50, 91, 106, 118-120),
Gerardo Suzán (pp. 31, 38, 55, 89),
Santiago Solís (pp.20-21, 33, 40-41, 62-65, 76-77, 101, 122),
Natalia Gurovich (pp.25, 29, 73, 92-95, 110-111, 121),
Bénédicte Guettier (pp.108-109),

Primera edición: Julio 2009
Primera reimpresión: Agosto 2010
Cuéntame D.R. © 2009, Ediciones Castillo, S.A. de C.V.
Todos los derechos reservados.
Insurgentes Sur 1886, Col. Florida
Deleg. Álvaro Obregón
C.P. 01030, México, D.F.
Tel.: (55) 5128-1350
Fax: (55) 5528-1350 ext. 2899

Ediciones Castillo forma parte del Grupo Macmillan
www.grupomacmillan.com
www.edicionescastillo.com
infocastillo@grupomacmillan.com
Lada sin costo 01 800 536 1777

Miembro de la Cámara Nacional de la Industria Editorial Mexicana
Registro núm. 3304

ISBN 978-607-463-078-7

Prohibida la reproducción o transmisión parcial o total de esta obra por cualquier medio o
método o en cualquier forma electrónica o mecánica, incluso fotocopia, o sistema para recuperar
información, sin permiso escrito del editor.

Impreso en México / *Printed in Mexico*

Cuéntame, se imprimió en los talleres de Editorial Impresora Apolo, S.A. de C.V.
Centeno 150-6, Col. Granjas Esmeralda,
C.P. 09810, Iztapalapa, México, D.F. Agosto de 2010